Donna Leon est née en 1942 dans le New Jersey et vit à Venise, théâtre de ses romans policiers, depuis plus de vingt-cinq ans. Elle enseigne la littérature dans une base de l'armée américaine située près de la Cité des Doges. Son premier roman, *Mort à La Fenice*, a été couronné par le prestigieux prix japonais Suntory, qui récompense les meilleurs romans à suspense. Les enquêtes du commissaire Brunetti ont conquis des millions de lecteurs à travers le monde.

Donna Leon

BRUNETTI ENTRE LES LIGNES

ROMAN

*Traduit de l'anglais (États-Unis)
par Gabriella Zimmermann*

Calmann-Lévy

TEXTE INTÉGRAL

TITRE ORIGINAL ANGLAIS
By its cover
ÉDITEUR ORIGINAL
William Heinemann, Londres, 2014
© Donna Leon et Diogenes Verlag AG, Zürich, 2014

ISBN 978-2-7578-6282-7
(ISBN 978-2-7021-5717-6, 1re publication)

© Calmann-Lévy, 2016, pour la traduction française

À Judith Flanders

« Aussi méchant soit-il, il est mon frère,
à présent. »

Saül, HÄNDEL

1

C'était un morne lundi. Brunetti le passa en grande partie à lire les témoignages sur la querelle qui avait éclaté entre deux chauffeurs de taxi et qui s'était achevée par l'hospitalisation de l'un d'eux avec une commotion cérébrale et un bras cassé. Ces déclarations avaient été établies par le couple d'Américains qui avait demandé au concierge de leur hôtel d'appeler un taxi pour l'aéroport ; par le concierge, qui disait avoir appelé l'un de ses chauffeurs attitrés ; par le porteur, qui affirma n'avoir fait que son travail, c'est-à-dire déposer les bagages dans le taxi ; et par les deux chauffeurs, dont l'un fut interrogé à l'hôpital. Brunetti conclut de ces différentes histoires que le chauffeur de la société habituelle de taxis était tout près lorsqu'il avait reçu le coup de fil du concierge, mais qu'à son arrivée à l'hôtel, il y avait déjà un autre taxi amarré au quai. Il s'était arrêté, avait crié le nom que le concierge lui avait donné et dit que c'était à lui de conduire ces Américains à l'aéroport. L'autre chauffeur avait rétorqué que le porteur lui avait fait signe alors qu'il passait par là, et que c'était donc sa course. Le porteur niait et répétait qu'il n'avait fait que s'occuper des bagages. Quant aux Américains, ils étaient fous de rage, car ils avaient raté leur avion.

Brunetti savait bien ce qui s'était passé, mais ne pouvait le prouver : le porteur avait dû héler le taxi de manière à ce que lui, et non pas le concierge, perçoive le pourcentage sur la course. La suite était limpide : personne ne dirait jamais la vérité et les Américains ignoreraient à tout jamais ce qui était arrivé.

Une brusque envie de café détourna Brunetti de ses réflexions ; il fit une pause et se demanda s'il n'avait pas trouvé là une explication cosmique à l'histoire mondiale d'aujourd'hui. Il sourit et nota l'idée, pour en reparler le soir même avec Paola ou, mieux encore, le lendemain soir au dîner chez ses beaux-parents. Il espérait divertir ainsi le comte, grand amateur de paradoxes, et il était sûr et certain que sa belle-mère savourerait l'anecdote.

Il interrompit sa rêverie et descendit l'escalier de la questure, impatient de boire le café qui lui permettrait de tenir tout le restant de l'après-midi. Il était près de la porte d'entrée lorsque le standardiste tapa à la fenêtre de sa minuscule cabine et lui fit signe de venir. Il l'entendit déclarer au téléphone : « Je pense que vous devriez parler au commissaire, dottoressa. Il est de service », et il lui passa le combiné.

« Brunetti.

– Êtes-vous le commissaire ?

– Oui.

– Dottoressa Fabbiani à l'appareil. Je suis la bibliothécaire en chef de la Biblioteca Merula. Nous venons de subir un vol. Même plus d'un, à mon avis. » Sa voix tremblotait ; c'était la voix typique des victimes d'agression.

« Au sein de la collection ? » demanda Brunetti. Il connaissait cette bibliothèque pour y être allé une ou deux fois lorsqu'il était étudiant, mais elle lui était complètement sortie de l'esprit depuis des lustres.

« Oui.

– Qu'est-ce qu'on vous a pris ? s'enquit-il, tout en préparant mentalement les questions censées faire suite à la réponse de sa correspondante.

– Nous ne connaissons pas encore le degré de gravité du vol. La seule chose dont je sois sûre, en l'état actuel des choses, c'est qu'on a arraché des pages dans certains volumes. » Il l'entendit inspirer profondément.

« Combien ? s'informa Brunetti, en prenant un bloc-notes et un crayon.

– Je ne sais pas. Je viens juste de m'en rendre compte. » Sa voix s'étranglait dans sa gorge.

Il entendit un homme parler près d'elle. Elle dut se tourner vers lui pour lui répondre, car Brunetti eut du mal à capter ses propos pendant un instant. Puis le silence se fit à l'autre bout du fil.

Songeant aux procédures auxquelles il avait dû se plier, dans les bibliothèques municipales, chaque fois qu'il avait voulu consulter un livre, il lui demanda : « Vous avez bien des fiches des personnes qui se servent des livres, n'est-ce pas ? »

Avait-elle été surprise qu'un policier puisse poser une telle question ? Qu'il s'y connaisse en bibliothèques ? Elle mit en tout cas un moment à lui répondre : « Bien sûr. » Cela le fit sans doute monter d'un cran dans l'estime de la bibliothécaire. « C'est ce que nous sommes en train de vérifier.

– Avez-vous trouvé l'auteur de ce vol ? »

Il s'ensuivit une pause encore plus longue. « Un chercheur, à notre avis », dit-elle, puis elle ajouta : « Qui avait tous les prérequis voulus. » Brunetti perçut, en filigrane, la bureaucrate déjà prête à se défendre contre toute accusation de négligence.

« Dottoressa, commença-t-il du ton le plus convaincant et le plus professionnel possible, il faut nous aider à l'identifier. Plus vite nous le trouverons, moins il aura de temps pour vendre ce qu'il a pris.

– Mais les livres sont saccagés », répliqua-t-elle d'une voix aussi angoissée qu'à la mort d'un être cher.

Pour une bibliothécaire, imagina-t-il, un livre abîmé était aussi grave qu'un livre volé. En adoptant cette fois le ton de l'Autorité, il affirma : « J'arrive tout de suite, dottoressa. Je vous prie de ne toucher à rien. Et j'aimerais voir l'identification qu'il vous a donnée. » Comme il n'obtint aucune réponse, il raccrocha.

Brunetti se souvenait que cette bibliothèque se trouvait sur les Zattere, mais sa position exacte lui échappait. Il se tourna vers le garde et lui dit : « Si on me demande, je suis à la Biblioteca Merula. Appelez Vianello et dites-lui d'y aller avec deux hommes pour prendre les empreintes digitales. »

Dehors, il trouva Foa bras et jambes croisés, appuyé contre le parapet du canal. Il avait la tête penchée en arrière et gardait les yeux fermés, face aux premiers rayons du soleil printanier, mais dès que Brunetti fut à son niveau, le pilote lui demanda : « Où puis-je vous conduire, commissaire ? avant même d'ouvrir les yeux.

– À la Biblioteca Merula. »

Comme s'il achevait la phrase de Brunetti, Foa enchaîna : « Dorsoduro 3429.

– Comment sais-tu cela ?

– Mon beau-frère et sa famille vivent dans l'immeuble d'à côté, donc ça devrait être à ce numéro.

14

– J'ai eu peur un instant que le lieutenant ne soit allé s'inventer une nouvelle loi vous obligeant à apprendre toutes les adresses de la ville par cœur.

– Quand on a grandi sur un bateau, on sait où se trouve n'importe quel endroit, monsieur. Mieux qu'un GPS », déclara Foa en se tapant le front du doigt. Il s'écarta de la rambarde et se dirigea vers le bateau, mais il s'arrêta à mi-chemin et se tourna vers Brunetti. « Au fait, savez-vous ce qu'ils sont devenus, monsieur ?

– Quoi donc ? s'informa Brunetti, non sans confusion.

– Les GPS.

– Quels GPS ?

– Ceux qui ont été commandés pour les bateaux », spécifia Foa. Brunetti se tenait debout, attendant une explication.

« J'ai parlé à Martini, il y a quelques jours de cela, reprit Foa, désignant le policier chargé de l'approvisionnement, l'homme de la situation lorsque l'on veut faire réparer une radio ou obtenir une nouvelle torche électrique. Il m'a montré la facture et m'a demandé si je savais s'ils étaient bons ou pas. Le modèle qui avait été commandé.

– Et tu le savais ? s'enquit Brunetti, qui se demandait comment la conversation en était arrivée là.

– Oh, il n'y en a pas un qui ne les connaisse pas, monsieur. Ça ne vaut pas un pet de lapin. Aucun chauffeur de taxi n'en veut, et le seul qui s'en soit acheté un, à ma connaissance, ça l'a rendu tellement fou qu'il l'a arraché du pare-brise de son bateau et l'a jeté par-dessus bord. » Foa reprit son chemin vers la vedette et s'arrêta de nouveau. « C'est ce que j'ai dit à Martini.

– Et qu'est-ce qu'il a fait ?

– Qu'est-ce qu'il pouvait faire ? C'est le bureau central de Rome qui gère ; on graisse la patte à quelqu'un là-bas pour passer la commande et à quelqu'un d'autre pour la faire aboutir. » Il haussa les épaules et monta dans le bateau.

Brunetti le suivit, surpris que Foa lui ait raconté cette histoire, car il devait bien se douter qu'il ne pouvait rien y faire non plus. Ainsi va le monde.

Foa mit le moteur en route. « Martini m'a dit que la facture en comptait une dizaine.

– Il n'y a que six bateaux, n'est-ce pas ? s'assura Brunetti, question à laquelle Foa ne prit même pas la peine de répondre. Cela remonte à quand ?

– À quelques mois. Cet hiver, je dirais.

– Tu sais si on en a vu la couleur ? »

Foa releva le menton et émit un claquement de langue sardonique en réponse à sa question.

Brunetti se retrouva alors à une croisée des chemins qui lui était familière : il pouvait avancer, mais probablement pour mieux reculer ; se mettre sur le côté, pour ne pas obstruer le passage ; ou fermer les yeux, s'asseoir confortablement et ne plus bouger du tout. S'il parlait à Martini et apprenait que les GPS avaient été commandés et payés mais ne se trouvaient nulle part, il se mettrait dans de sales draps. Il pouvait aller jeter un coup d'œil, sans mot dire, et peut-être éviter ainsi que l'on ne malmène les caisses du Trésor public. Ou purement et simplement passer outre et continuer à vaquer à des choses plus importantes, ou encore remédiables.

« Tu crois que le printemps est enfin arrivé ? » demanda-t-il au pilote.

Foa le regarda du coin de l'œil et sourit : ils ne pouvaient être davantage sur la même longueur d'ondes. « C'est possible, monsieur. Je l'espère en tout cas. Je n'en peux franchement plus de ce froid et de ce brouillard. »

Tandis qu'ils finissaient leur tour dans le *bacino*[1] et contemplaient le paysage, ils eurent tous deux le souffle coupé. Il n'y avait rien de théâtral dans leur réaction. Loin d'eux l'envie d'en faire trop, ou de se laisser aller à une pompeuse déclaration. C'était une simple réponse humaine à ce qui relève d'un autre monde, à ce qui est tout bonnement impossible. Devant eux se dressait l'un des derniers plus grands paquebots de croisière arrivés à Venise. Sa gigantesque poupe leur tournait effrontément le dos, les défiant de se livrer au moindre commentaire.

Sept, huit, neuf, dix étages. Comment était-ce possible ? Il bloquait la vue de la ville, bloquait la lumière, bloquait toute voie au bon sens ou à la raison, ainsi qu'à la justesse des choses. Ils le suivirent, observant le sillage qu'il créait et qui déferlait lentement contre les deux bords des quais, vaguelette après vaguelette. Quelle poussée – Dieu seul le sait – devait exercer cette énorme quantité d'eau déplacée sur ces pierres et sur les jointures qui les stabilisaient depuis des siècles ? Un coup de vent inattendu les enveloppa pendant quelques secondes, des gaz d'échappement du navire qui rendirent l'air soudain irrespirable. Mais l'atmosphère s'emplit ensuite, avec la même soudaineté, de la douceur du printemps, avec ses bourgeons, ses feuilles tendres et son herbe fraîche, tout comme de l'humeur

---

1. Le bassin qui s'étend face à la place Saint-Marc.

joyeuse de la nature, venue offrir son nouveau spectacle.

Ils pouvaient voir, à quelques mètres d'eux, les gens alignés sur le pont, tendus comme des tournesols vers la beauté de la place Saint-Marc, de ses coupoles et de son campanile. Un vaporetto apparut de l'autre côté ; il venait dans leur direction et les passagers, debout à l'extérieur, sans aucun doute des Vénitiens, levaient leurs poings et les agitaient à l'encontre des touristes, mais ces derniers regardaient de l'autre côté et ne purent voir l'accueil chaleureux que leur réservaient les autochtones. Brunetti songea au capitaine Cook, arraché aux vagues, tué, cuisiné et dévoré par d'autres autochtones, tout aussi chaleureux. « Bien », marmonna-t-il dans sa barbe.

À l'approche des Zattere, Foa prit sur la droite, fit marche arrière, puis se mit au point mort pour faire glisser la vedette jusqu'à l'arrêt complet. Il se saisit d'une corde d'amarrage et sauta sur la rive, se pencha et fit rapidement un nœud. Il s'inclina et prit la main de Brunetti pour le soutenir fermement tandis qu'il sautait à terre.

« Cela va probablement durer un bon bout de temps, le prévint Brunetti. Tu pourrais rentrer. »

Mais Foa ne prêta pas attention à ses mots. Il avait les yeux rivés sur la poupe du paquebot qui avançait lentement vers le quai de San Basilio. « J'ai lu un jour, commença Brunetti, en vénitien, qu'aucune décision ne peut être prise sans l'approbation unanime de toutes les instances.

– Je sais, répliqua Foa, gardant les yeux sur le navire. La magistrature des Eaux, la Région, le conseil d'administration de la ville, les autorités portuaires, quelques ministères à Rome... » Il fit une pause, tou-

18

jours hypnotisé par le bâtiment qui s'éloignait, mais diminuait à peine en taille. Puis Foa retrouva sa voix et nomma quelques hommes relevant de ces institutions.

Brunetti ne les connaissait pas tous, mais il en reconnut tout de même un grand nombre. Lorsque Foa mentionna trois anciens fonctionnaires municipaux de très haut rang, il martela chacun de leur nom de famille tel un menuisier enfonçant à coups de marteau les derniers clous dans le couvercle du cercueil.

« Je n'ai jamais compris pourquoi ils ont divisé les choses de cette façon », énonça Brunetti. Foa, après tout, provenait d'une famille qui vivait de la lagune et sur la lagune : des pêcheurs, des poissonniers, des marins, des pilotes et des mécaniciens de l'ACTV[1]. Il ne leur manquait que les branchies. S'il y avait des gens capables de comprendre comment était géré le système de l'eau dans cette ville, c'étaient bien eux.

Foa lui adressa le sourire qu'un professeur adresserait au plus sot de ses élèves : affectueux, pathétique, condescendant. « Vous croyez que huit comités séparés peuvent parvenir à prendre une décision ? »

Brunetti regarda le pilote, puis eut une illumination. « Et seule une décision conjointe pourrait arrêter les bateaux, asséna-t-il, conclusion qui élargit le sourire de Foa.

– Ainsi peuvent-ils remettre la question sur le tapis à l'infini, déclara le pilote, clairement admiratif devant l'idée ingénieuse de laisser la décision finale entre les mains d'autant d'organisations gouvernementales, isolées les unes des autres. On les paye pour aller

---

1. L'ACTV (Azienda del Consorzio Trasporti Veneziano : Agence du consortium des transports vénitien) est l'agence municipale assurant les transports publics à Venise depuis le 1er octobre 1978.

inspecter dans d'autres pays et voir comment on s'y prend là-bas, et pour tenir des comités où l'on discute de projets et de plans. » Puis il précisa, au souvenir d'un article paru peu de temps auparavant dans *Il Gazzettino*[1] : « Ou pour embaucher leurs femmes et leurs enfants à titre de consultants.

– Et ramasser les petits cadeaux qui pourraient tomber des poches des propriétaires des paquebots ? » suggéra Brunetti, même s'il savait que ce n'était pas le genre d'exemple qu'il était censé donner à la branche en uniforme.

Le sourire de Foa devint plus chaleureux encore, mais il se limita à dire, en indiquant l'étroit canal : « C'est là-bas, juste avant le pont. La porte verte. »

Brunetti fit un signe pour le remercier de l'avoir accompagné en bateau et pour ses instructions. Il entendit un instant plus tard démarrer le moteur ; il se tourna et vit la vedette de la police s'écarter, puis emprunter le canal en dessinant un large cercle pour pouvoir faire demi-tour.

Brunetti remarqua que le sol était humide et constellé de vastes flaques d'eau, qui s'étendaient le long des murs des immeubles qu'il longeait. Curieux, il regagna le bord du quai et regarda le niveau de l'eau, qui se trouvait dorénavant à plus de cinquante centimètres en dessous de lui. C'était marée basse, il n'y avait pas d'*acqua alta*[2] et il n'avait pas plu depuis longtemps, si bien que toute cette eau ne pouvait s'expliquer que par le passage du navire. Et ils étaient censés croire, lui et ses concitoyens, que l'administra-

---

1. L'un des deux quotidiens de Venise, l'autre étant *La Nuova*.
2. Hautes eaux qui inondent Venise entre l'automne et le début du printemps, lors de marées exceptionnelles.

tion prenait pour des idiots, que ces bateaux ne faisaient subir aucun dommage aux matériaux composant la ville ?

La plupart des hommes qui arrêtaient ces décisions n'étaient-ils pas vénitiens ? N'étaient-ils pas nés dans cette ville ? Leurs enfants n'y allaient-ils pas à l'école et à l'université ? Sans doute parlaient-ils même vénitien pendant leurs réunions.

Il pensait que la mémoire lui reviendrait sur le chemin de la bibliothèque, mais il n'en retrouva aucune image passée. Il ne put pas non plus se rappeler si le *palazzo* était la demeure de Merula lorsqu'il vivait à Venise : c'était là une question pour l'Archivio Storico[1], pas pour la police, dont les dossiers ne remontaient pas au-delà de un siècle.

Lorsque Brunetti franchit la porte verte, qui n'était pas fermée, il eut la sensation que la cour lui était familière : avec ses marches extérieures menant au premier étage et son puits bouché par un couvercle en métal, elle ressemblait à toutes les cours Renaissance de la ville. Il fut attiré par ses sculptures magnifiquement conservées, que ses murs avaient su préserver. Des anges joufflus soutenaient deux par deux un blason de famille qu'il ne put décrypter. Les ailes de certains de ces angelots avaient besoin d'être restaurées, mais le reste était intact. Il supposa que le puits datait du XIVe siècle, avec sa guirlande de fleurs entourant la margelle juste en dessous du capuchon métallique : il fut surpris d'en avoir gardé un si vif souvenir, alors que le reste l'avait fort peu marqué.

1. Les Archives d'État de Venise, situées sur le campo dei Frari, conservent les témoignages de plus de mille ans d'histoire de la ville.

Il se dirigea vers l'escalier qui lui était bien resté en tête également, avec sa large main courante en marbre, jalonnée de têtes de lion sculptées, de la taille d'une pomme de pin. Il gravit les marches, en tapotant la tête de deux de ces lions. Au sommet de la première volée, il aperçut une porte et à côté, une nouvelle plaque en laiton : *Biblioteca Merula*.

Il entra et fut saisi par la fraîcheur de la pièce. À cette heure de l'après-midi, la température était plus clémente et il regretta d'avoir mis sa veste en laine ; il sentait à présent sa transpiration sécher le long du dos.

Dans la petite salle d'accueil, un jeune homme arborant une barbe à l'italienne du dernier cri était assis derrière un bureau, avec un livre ouvert devant lui. Il regarda Brunetti et lui sourit : « En quoi puis-je vous aider ? »

Brunetti sortit sa carte officielle de son portefeuille et la lui montra. « Ah, bien sûr, fit le jeune homme. Vous souhaitez voir la dottoressa Fabbiani, monsieur. Elle est en haut.

– N'est-ce pas la bibliothèque ? s'enquit Brunetti, en désignant la porte derrière le jeune homme.

– Ici, c'est la collection moderne. Les livres rares sont au-dessus, il faut monter un autre étage. » Devant la confusion de Brunetti, il expliqua : « Tout a été changé ici il y a environ dix ans », puis il spécifia, avec un sourire : « Bien avant mon époque.

– Et bien après la mienne », répliqua Brunetti qui regagna l'escalier.

Comme cette partie de la rampe était dépourvue de lions, Brunetti laissa glisser ses doigts le long de la main courante en marbre biseauté, polie par des siècles d'utilisation. Parvenu au sommet, il trouva une porte avec une sonnette sur la droite. Il l'actionna et au bout d'un moment, un homme plus jeune que lui, portant une veste bleu foncé à la coupe militaire, et ornée de boutons en cuivre, lui ouvrit. Il était de taille moyenne et trapu ; il avait les yeux bleu clair et un nez fin, très légèrement tordu. « Êtes-vous le commissaire ? demanda-t-il.

– Oui, répondit-il en lui tendant la main. Guido Brunetti. »

L'homme lui prit la main et la serra brièvement. « Piero Sartor », se présenta-t-il. Il recula pour permettre à Brunetti de s'approcher de ce qui faisait penser au guichet d'une petite gare de province. Sur la gauche se trouvait un comptoir en bois, à mi-hauteur, avec un ordinateur et deux corbeilles à papier. De très vieux livres étaient empilés sur un chariot, appuyé contre le mur derrière le comptoir.

Certes, il y avait désormais un ordinateur, chose qui n'existait pas à l'époque où Brunetti était étudiant, mais l'odeur était restée la même. Les vieux livres l'avaient toujours empli de nostalgie pour les siècles où il n'avait pas vécu. Ils étaient imprimés sur du papier fabriqué à partir de vieilles étoffes déchirées en lambeaux et broyées, plongées dans l'eau puis broyées à nouveau, et transformées ensuite à la main en grandes pages prêtes à l'impression, que l'on pliait et repliait, reliait et cousait, toujours à la main : *Tous ces efforts pour documenter et garder en mémoire notre identité et nos idées*, songea le commissaire. Il se rappelait combien il en aimait la sensation sous les doigts, ainsi que le poids, mais ce dont il se souvenait surtout, c'était ce parfum à la fois âcre et doux, émanant d'un passé qui cherchait à devenir réalité sous ses yeux.

L'homme ferma la porte, ce qui tira Brunetti de sa rêverie, et se tourna vers lui. « Je suis le gardien. C'est moi qui ai trouvé le livre. » Il essaya, mais en vain, d'annihiler toute trace de fierté dans sa voix.

« Celui qui a été abîmé ?

– Oui, monsieur. C'est-à-dire que j'ai descendu le livre de la salle de lecture et lorsque la dottoressa Fabbiani l'a ouvert, elle a vu que certaines pages avaient été arrachées. » Sa fierté fit place à de l'indignation et à un sentiment proche de la colère.

« Je vois. Votre tâche consiste donc à descendre les livres au bureau d'en bas ? » demanda-t-il, curieux de connaître les devoirs que cette institution assignait à un gardien. Il supposa que c'était précisément ce rôle qui rendait Sartor étonnamment avenant à l'égard de la police.

L'homme lui lança un regard furtif et perçant, où l'on devinait aisément aussi bien de l'inquiétude que de la confusion. « Non, monsieur, mais c'est un livre que j'ai lu – ou plutôt, que j'ai lu en partie –, donc je l'ai aussitôt reconnu et je me suis dit qu'il ne fallait pas qu'il traîne sur la table, laissa-t-il échapper. C'est Cortés, cet Espagnol qui est allé en Amérique du Sud. »

Sartor cherchait ses mots et poursuivit plus lentement : « Il aimait tellement les livres qu'il lisait que ça m'a donné envie de m'y intéresser et j'ai pensé y jeter un coup d'œil. Il est américain, mais il parle très bien italien – c'est à ne pas y croire –, et nous avons pris l'habitude de bavarder quand j'étais au bureau et qu'il attendait qu'on lui descende ses livres. » Il se tut un instant, mais au vu de l'expression que dégageait Brunetti, il reprit la parole : « Nous faisons une pause dans l'après-midi, mais je ne fume pas et je ne peux pas boire de café. C'est l'estomac ; je ne supporte plus. Je bois du thé vert, mais aucun bar à la ronde n'en a ou, plutôt, n'a pas le type de thé que je pourrais boire. Ce qui fait que je dispose d'une demi-heure et comme je n'ai pas très envie de sortir, j'ai commencé à lire. Certains des chercheurs mentionnent des livres, et parfois j'essaie de les lire. » Il fit un sourire nerveux, comme s'il venait de se rendre compte qu'il avait transgressé une barrière sociale. « Ce qui me permet d'avoir des choses intéressantes à raconter à ma femme quand je rentre à la maison. »

Brunetti se délectait toujours à écouter les révélations surprenantes que lui faisaient les gens : ils effectuaient et disaient les choses les plus inattendues, en bien ou en mal. Le jour où un collègue lui avait sorti à quel point il en avait eu assez d'entendre sa femme se plaindre, alors qu'elle en était à sa dix-septième heure de travail pour la naissance de leur premier enfant, Brunetti avait eu du mal à réprimer son envie de le gifler. Il pensa aussi à la femme de son voisin, dont le chat sortait chaque soir par la fenêtre de la cuisine pour aller rôder librement sur les toits des alentours et qui rapportait chaque matin une pince à linge, au lieu d'une souris : un cadeau non moins précieux que les histoires captivantes que Sartor racontait à sa femme.

Brunetti, à l'affût de ce que ce dernier avait à lui dire, s'informa : « Hernán Cortés ?

– Oui, lui confirma Sartor. Il conquit la ville du Mexique qu'ils dénommèrent la Venise de l'Ouest. » Il s'arrêta puis ajouta, craignant que Brunetti ne le prenne pour un idiot : « Ce sont les Européens qui lui ont donné ce nom, pas les Mexicains. »

Brunetti opina du chef, en signe de compréhension.

« Cela ne manque pas d'intérêt, même s'il remercie toujours Dieu après avoir tué un tas de gens : je n'aime pas beaucoup ça, mais il écrivait au roi, donc il était peut-être obligé de dire ce genre de choses. Mais ce qu'il écrivait à propos du pays et des gens était passionnant. Ma femme aimait bien, elle aussi. J'aimais voir combien les choses étaient différentes à l'époque par rapport à aujourd'hui. J'en ai lu une partie, et je voulais le finir. Quoi qu'il en soit, j'avais reconnu le titre – *Relación* – que j'avais vu à la place où il s'asseyait habituellement et je l'ai descendu parce que je me suis dit qu'un tel livre ne devait pas rester en haut. »

Comme Brunetti supposa que ce « il » non nommé était l'homme censé avoir coupé les pages du livre, il lui demanda : « Pourquoi l'avez-vous pris s'il l'avait en consultation ?

– Riccardo, qui travaille au premier étage, m'a dit qu'il l'avait vu descendre l'escalier pendant ma pause repas. Chose qu'il n'avait jamais faite auparavant. Il arrive toujours dès l'ouverture et il reste tout l'après-midi. » Il réfléchit un instant et précisa, d'un ton sincèrement préoccupé : « Je ne sais pas comment il se débrouille pour son déjeuner : j'espère qu'il ne mangeait pas ici. » Puis, gêné d'avoir fait cet aveu, il ajouta : « C'est pourquoi je suis monté voir s'il était revenu.

– Comment pouviez-vous le savoir ? » s'enquit Brunetti, animé d'une véritable curiosité.

Sartor eut un petit sourire. « À force de travailler ici, monsieur, vous finissez par déchiffrer les signes. Pas de crayons, pas de marqueurs, pas de bloc-notes. Ce n'est pas facile à expliquer, mais je sais s'ils en ont fini pour la journée. Ou pas.

– Et c'était le cas ? »

Le gardien hocha la tête de manière catégorique. «Les livres étaient empilés à sa place. La lumière de son pupitre était éteinte. Donc il savait qu'il ne reviendrait pas et c'est la raison pour laquelle j'ai descendu le livre au bureau principal.

– Était-ce quelque chose d'inhabituel ?

– Pour lui, oui. Il rangeait toujours toutes ses affaires et descendait lui-même les livres.

– À quelle heure est-il parti ?

– Je ne sais pas exactement, monsieur. Avant que je sois revenu, à 14 h 30.

– Et puis ?

– Comme je vous l'ai dit, lorsque Riccardo m'a appris qu'il était parti, je suis monté pour m'en assurer et m'occuper des livres.

– Est-ce quelque chose que vous faites normalement ? » demanda Brunetti, intrigué. Le gardien avait trahi une certaine inquiétude la première fois qu'il lui avait posé cette question.

Cette fois, il répondit sans hésiter. «Pas vraiment, monsieur. Mais j'étais autrefois un coursier, c'est-à-dire que j'apportais les livres aux lecteurs et je les remettais sur les rayonnages – si bien que je l'ai fait, disons, automatiquement. Je ne supporte pas de voir les volumes traîner sur les tables si personne ne s'en sert.

– Je vois. Continuez, je vous prie.

– J'ai descendu les ouvrages au bureau chargé de distribuer les livres. La dottoressa Fabbiani arrivait juste d'une réunion et lorsqu'elle a ouvert le livre de Cortés qu'elle avait demandé, elle a vu ce qui s'était passé. » Puis, d'un débit plus lent, comme s'il se parlait à lui-même, il ajouta : « Je ne comprends pas comment il a réussi à le faire. En général, il y a plus d'une personne dans la salle. »

Brunetti ignora cette remarque. « Pourquoi a-t-elle ouvert ce livre en particulier ?

– Elle a dit que c'était un livre qu'elle avait lu quand elle était à l'université et qu'elle aimait la manière dont la ville y était dessinée. C'est pourquoi elle l'a pris et l'a ouvert. Elle était si contente de le revoir, a-t-elle dit, après toutes ces années. » Face à l'expression de Brunetti, il précisa : « Les gens qui travaillent ici ont ce genre de rapport avec les livres, vous savez.

– Vous avez dit qu'il y a d'habitude plus d'une personne dans la salle ? » reprit Brunetti avec douceur. Sartor fit un signe d'assentiment. « Il y a en général un ou deux chercheurs et il y a aussi un homme qui lit les Pères de l'Église depuis trois ans, monsieur. Nous l'appelons Tertullien : c'est le premier auteur qu'il a demandé et le nom lui est resté. Il vient tous les jours, ce qui fait qu'on a commencé à le voir un peu comme une sorte de gardien. »

Brunetti s'abstint de l'interroger sur le choix de cette lecture et préféra lui dire, avec un sourire : « Je comprends.

– Quoi donc, monsieur ?

– Que vous fassiez confiance à quelqu'un qui a passé des années à lire les Pères de l'Église. »

L'homme sourit nerveusement, en réponse à Brunetti. « Peut-être avons-nous été négligents », remarqua-t-il. Comme Brunetti ne souffla mot, il spécifia : « J'entends : en matière de sécurité. Il n'y a pas grand-monde qui vienne à la bibliothèque, et au bout d'un moment, nous avons l'impression de connaître les gens et donc nous baissons la garde.

– Ce qui est dangereux, se permit de noter Brunetti.

– C'est le moins qu'on puisse dire », affirma une voix de femme derrière lui. Brunetti se tourna et fit ainsi la connaissance de la dottoressa Fabbiani.

2

Elle était grande et élancée, et ressemblait, au premier coup d'œil, à ces fins échassiers qui étaient si courants autrefois dans la lagune. Tout comme eux, elle avait une tête d'un gris argenté et les cheveux coupés très court, et comme eux, elle était voûtée et se penchait en avant quand elle était debout, les bras croisés dans son dos, une main agrippée à l'autre poignet. Tels ces oiseaux, elle avait de larges pieds noirs, à l'extrémité de longues jambes.

Elle les rejoignit à grandes foulées, lâcha sa main droite et la tendit à Brunetti. « Je suis Patrizia Fabbiani, dit-elle, la directrice.

– Je suis désolée de faire votre connaissance dans ces circonstances, dottoressa, répliqua Brunetti, préférant toujours user d'une formule de politesse stéréotypée avant d'avoir véritablement compris à qui il avait affaire.

– Est-ce que tu as expliqué la situation à monsieur le commissaire, Piero ? demanda-t-elle au gardien, en usant de ce « tu » familier réservé aux amis, et non pas à un subordonné.

– Je lui ai dit que j'avais apporté le livre au bureau, mais que je n'avais pas remarqué qu'il manquait des pages, répondit-il, sans s'adresser à elle directement, ce qui ne permit pas à Brunetti de vérifier si dans ce lieu, tout le monde était autorisé à parler à la directrice de manière informelle, comme on pourrait s'y attendre dans un magasin de chaussures, mais pas dans une bibliothèque.

– Et qu'en est-il des autres livres qu'il avait en consultation ? » demanda Brunetti à la dottoressa.

Elle ferma les yeux et il l'imagina les ouvrir intérieurement sur les bouts de page qui s'y trouvaient encore. « Je les ai fait descendre après avoir vu le premier. Il y en avait trois autres et dans l'un d'eux, il manque neuf pages. » Il supposa qu'elle l'avait vérifié sans mettre de gants. Peut-être qu'une bibliothécaire, à la vue de livres endommagés, ne pouvait pas ne pas les toucher, à l'instar d'un médecin à la vue d'un membre en sang.

« À combien s'élève la perte ? » s'enquit-il, espérant que sa réponse lui donnerait une idée de l'enjeu d'un tel délit. Les gens volent des choses parce qu'elles ont de la valeur, mais Brunetti savait que c'était là un terme tout relatif, sauf lorsqu'il s'agit d'un vol d'argent pur et dur. Un objet pouvait avoir une valeur sentimentale, ou une valeur fondée sur le prix du marché. Dans ce cas, c'est la rareté, l'état de conservation et l'attrait qui la déterminent. Comment donner un prix à la beauté ? Comment évaluer l'importance historique d'un objet ? Il jeta un coup d'œil furtif aux livres empilés sur le chariot appuyé contre le mur, mais s'en détourna aussitôt. Elle le regarda droit dans les yeux et il vit non pas les yeux d'un oiseau des lagunes, mais les yeux d'une femme très intelligente, à même de percevoir la complexité de chacune des réponses qu'elle pouvait donner à la question du commissaire.

Elle prit quelques feuilles de papier sur la table située près d'elle. « Nous avons commencé à faire une liste des livres qu'il a consultés depuis le début, y compris ceux que j'ai vus aujourd'hui, déclara-t-elle en guise de réponse, sans tenir compte des livres sur le chariot derrière elle. Dès que nous connaîtrons tous les titres et que nous les aurons examinés, nous pourrons avoir une idée de ce qu'il a pris d'autre.

– Pendant combien de temps est-il venu ici ?

– Trois semaines.

– Puis-je voir les livres que vous avez déjà trouvés ?

– Bien sûr, bien sûr, approuva-t-elle, puis se tournant vers le gardien : Piero, mets un mot sur la porte, disant que nous sommes fermés pour des problèmes techniques. » Puis elle dit à Brunetti, avec un sourire amer : « Ce qui n'est pas bien loin de la vérité. » Brunetti jugea plus opportun de ne pas répondre.

Pendant que Piero écrivait cette note, la dottoressa Fabbiani lui demanda : « Y a-t-il encore quelqu'un dans la salle ?

– Non. La seule autre personne qui se soit enregistrée aujourd'hui, c'est Tertullien et il est parti. » Il prit le papier et un rouleau de ruban adhésif dans un tiroir derrière le comptoir et se dirigea vers la porte d'entrée.

« Oh mon Dieu, dit la dottoressa Fabbiani à voix basse. Je l'avais complètement oublié. C'est comme s'il faisait partie du personnel ou des meubles. » Elle secoua la tête, exaspérée par son étourderie.

« Qui est-ce ? s'enquit Brunetti, curieux de voir si son explication coïnciderait avec celle du gardien.

– Quelqu'un qui vient lire ici, depuis des années, des documents religieux et qui est très courtois envers tout le monde.

– Je vois, fit Brunetti qui décida de passer outre cette information, tout au moins pour le moment. Pouvez-vous me dire comment une personne a accès à votre collection ?

– C'est très simple. Les résidents doivent présenter leur carte d'identité et un justificatif de domicile. Les gens qui ne sont pas résidents de la ville et qui veulent consulter certains livres doivent nous fournir une description écrite de leur projet de recherche, une lettre de recommandation de la part d'une institution académique ou d'une autre bibliothèque, et une pièce d'identité.

– Comment savent-ils qu'ils peuvent faire leurs recherches ici ? » Face à la confusion de la dottoressa, il réalisa qu'il avait mal formulé sa question. « Je veux dire, comment savent-ils ce qui se trouve dans votre collection ? »

Elle fut en proie à une trop grande surprise pour pouvoir la dissimuler. « Tout est en ligne. Tout ce qu'ils ont à faire, c'est chercher ce qu'ils souhaitent consulter.

– Certes, affirma Brunetti, gêné d'avoir posé une question aussi inepte. Le système était différent lorsque j'étais étudiant. » Il jeta un coup d'œil circulaire et reprit : « Tout était différent.

– Vous veniez ici ? demanda-t-elle, curieuse.

– Quelquefois, lorsque j'étais au lycée.

– Qu'est-ce que vous y lisiez ?

– Surtout des livres d'histoire. Les Romains, parfois les Grecs. » Puis il avoua, par honnêteté intellectuelle : « Mais toujours en traduction.

– Pour vos études ?

– Parfois, mais le plus souvent, juste pour mon plaisir. »

Elle regarda Brunetti, ouvrit la bouche comme pour dire quelque chose, mais se dirigea vers l'arrière du bâtiment.

Brunetti se remémora son parcours universitaire et le temps infini qu'il avait passé dans les bibliothèques, à trouver le titre dans le fichier, à remplir les formulaires de demande de prêt en double (pour trois livres au maximum), à remettre les formulaires au bibliothécaire, à attendre qu'on lui apporte les livres, à se rendre à un pupitre et à lire, puis à rendre les livres à la fin de la journée. Il se souvint des bibliographies qu'il parcourait avidement, dans l'espoir qu'elles lui fournissent d'autres titres relatifs au sujet de sa recherche. Il arrivait qu'un professeur mentionne quelques sources utiles, mais c'était rare. La plupart d'entre eux faisaient de la rétention d'informations, comme s'ils croyaient que les livrer à un étudiant signifiait en perdre à tout jamais le contrôle.

« Y avait-il une thématique commune entre les livres requis par l'Américain ? s'informa Brunetti.

– Le voyage. Les explorateurs vénitiens du Nouveau Monde. » Elle froissa les papiers. « Tout au moins, c'était le sujet de ses premières demandes. Après deux semaines, il a commencé à consulter des livres d'auteurs non vénitiens et puis… Il a commencé à demander des livres sur l'histoire naturelle. » Tournant de nouveau son attention vers Brunetti, elle spécifia : « Ils sont tous là.

– Mais qu'avaient-ils en commun ?

– Les illustrations, répondit-elle, ce qui le conforta dans ses doutes. Des cartes, des dessins d'espèces indigènes, faits par les explorateurs et les artistes qui les accompagnaient. C'étaient souvent des aquarelles, peintes au moment de l'impression. » Comme surprise par ses propres mots, la dottoressa leva la main tenant les feuilles de papier et s'en cacha la bouche, puis ferma les yeux brusquement.

« Qu'est-ce que c'est ?

– Le Merian » lui dit-elle, ce qui porta la confusion de Brunetti à son comble. Elle se tint immobile si long-temps qu'il craignit qu'elle ne fût au bord d'une crise cardiaque. Puis il la vit se détendre : sa main retomba sur le côté et elle ouvrit les yeux.

« Vous sentez-vous bien ? »

Elle fit signe que oui.

« Qu'est-ce que c'était ? répéta-t-il, en prenant garde à ne pas s'approcher d'elle.

– Un livre.

– Lequel ?

– Un livre de dessins réalisés par une Allemande », répondit-elle d'une voix qui recouvrait peu à peu son calme. « Nous en avons un exemplaire. J'ai eu peur qu'il ne l'ait eu aussi entre les mains, mais il a été prêté – je m'en souviens maintenant – à une autre bibliothèque. » Elle ferma de nouveau les yeux et mur-mura : « Dieu merci. »

Un long moment s'écoula avant que Brunetti n'osât lui demander : « Avez-vous sa demande de candi-dature ?

– Oui. Elle est dans mon bureau. C'est une lettre de recommandation de son université, expliquant la nature de sa recherche, avec la copie de son passe-port. » Elle tourna les talons et traversa la salle.

Parvenue à la porte, elle l'ouvrit avec sa carte magnétique, attachée à une longue lanière qu'elle por-tait autour du cou. Brunetti la suivit à l'intérieur et referma la porte derrière eux. Elle le guida dans un

36

interminable couloir, uniquement éclairé par de la lumière artificielle.

Au bout du couloir, elle se servit de nouveau de sa carte magnétique et ils entrèrent dans une vaste pièce remplie de rangées d'étagères placées si près les unes des autres qu'une seule personne pouvait passer à la fois. Ici, l'odeur était plus prononcée : Brunetti se demanda si les gens qui y travaillaient finissaient par ne plus la sentir au bout d'un moment. Elle avait à peine franchi la porte que la dottoressa sortait déjà une paire de gants blancs de sa poche. Tout en les enfilant, elle lui dit : « Je n'ai pas eu le temps de vérifier les autres livres qu'il a consultés, je l'ai fait juste pour ceux qu'il a laissés aujourd'hui. Certains d'entre eux sont ici. Nous pouvons le faire maintenant. »

Elle jeta un coup d'œil à son papier, puis prit sur la gauche et se dirigea vers la troisième rangée d'étagères. Sans même prendre soin de lire le dos des livres, elle s'arrêta à mi-chemin et s'abaissa pour en tirer un de l'étagère du bas.

« Vous savez où se trouve chacun d'eux ? » lui demanda-t-il, à l'autre bout de l'allée.

Elle revint et posa le livre sur une table à côté de lui. Elle se pencha pour ouvrir un tiroir et en tira une paire de gants en coton qu'elle lui tendit. « Presque. Cela fait sept ans que je suis ici. » Elle regarda de nouveau son papier et refit un geste vers la fin de cette même allée. « Je suis sûre que j'ai fait des centaines de kilomètres au milieu de ces rayonnages. »

Cette réflexion rappela à Brunetti un officier en uniforme de Naples qu'il avait connu quand il était en garnison là-bas et qui prit conscience un jour que durant ses vingt-sept années de service, il avait fait au moins cinquante mille kilomètres, bien plus que la circonférence de la Terre. Face à l'incrédulité patente de Brunetti, il lui expliqua qu'il avait parcouru dix kilomètres par journée de travail, sur vingt-sept ans. Brunetti regardait à présent cette allée, pour essayer d'en évaluer la longueur. Cinquante mètres ? Plus encore ?

Il la suivit pendant vingt minutes, de salle en salle, les bras de plus en plus chargés de volumes. Il se rendait compte que plus le temps passait, moins il en sentait l'odeur. À un moment donné, elle lui fit faire une halte près de la table et y déposa les ouvrages avant de reprendre sa course. Elle devint son Ariane, le conduisant à travers le labyrinthe de livres, ne cessant de s'arrêter pour lui en tendre un autre, et un autre encore. Brunetti fut bientôt perdu ; il lui aurait suffi d'une seule fenêtre donnant sur la Giudecca pour pouvoir s'orienter, mais les édifices voisins qu'il apercevait depuis les ouvertures ne lui donnaient aucun indice.

Enfin, après lui avoir remis deux autres livres, elle revint à la première page de la liste et signala à Brunetti qu'elle avait terminé. « Nous pourrions tout aussi bien les regarder ici », suggéra-t-elle, en lui faisant regagner la table couverte de volumes. Il attendit qu'elle lui prenne les derniers livres des bras et qu'elle les ajoute aux autres.

Debout près de la première pile, la dottoressa prit le premier ouvrage et l'ouvrit. Brunetti s'approcha et vit la page de garde. Elle la tourna et il découvrit, sur la droite, la page de titre. Il ne restait plus, du frontispice, que la souche verticale et rigide. Même si cette très mince bande de papier n'avait rien d'une blessure, Brunetti ne pouvait s'empêcher de penser que le livre avait souffert.

Il entendit la dottoressa soupirer. Elle ferma le livre et le tourna pour en regarder la tranche, à la recherche de creux dans l'épaisseur des pages. Comme les gants réduisaient la sensibilité de ses doigts, elle posa l'ouvrage sur la table, enleva ses gants et commença à le feuilleter lentement. Elle tomba sans tarder sur la souche d'une autre page découpée, puis d'une autre, et d'une autre encore, et parvint ainsi à la fin du volume.

Elle le mit de côté et en prit un deuxième. De nouveau, le frontispice avait disparu, ainsi que sept autres pages. Elle ferma le livre et le posa sur le précédent. Tandis qu'elle se penchait pour en prendre un nouveau, Brunetti vit une larme tomber sur la reliure en cuir rouge, qui passa immédiatement du rose au bordeaux. Elle la sécha du bord de la main. « Quels idiots nous sommes », dit-elle. Qui désignait-elle ? se demanda-t-il. Les gens qui faisaient cela, ou les gens dont le laxisme leur permettait de le faire ?

Il se tint près d'elle pendant qu'elle feuilleta, d'après ses calculs, vingt-six autres volumes. Il manquait des pages à tous ces livres, à l'exception de deux ouvrages.

Elle plaça le dernier sur le côté et se penchant en avant, elle s'appuya des mains sur le bord de la table. « Il manque aussi des livres. » Puis, à la manière des gens qui refusent souvent d'accepter même le plus imparable des diagnostics, elle suggéra : « Mais peut-être qu'ils n'ont pas été remis sur les bonnes étagères.

– Est-ce possible ? » s'enquit Brunetti.

Regardant les livres éparpillés sous ses yeux, elle déclara : « Si vous m'aviez posé cette question hier, je vous aurais répondu que rien de tout cela n'était possible.

– Qu'est-ce qui manque ? Les livres qu'il avait demandés ?

– Non, et c'est bien cela qui est fort étrange. Mais c'est le même genre de livres de voyages.

– Quels sont-ils ? s'informa Brunetti, même s'il pensait n'avoir aucune chance de les reconnaître.

– Une traduction allemande du *Delle navigationi et viaggi* de Ramusio et une édition latine des *Paesi noua* de Montalboddo, datant de 1508. » Elle lui parlait comme elle l'aurait fait avec un collègue ou un archiviste, partant du principe qu'il devait connaître ces livres et avoir une idée de leur valeur.

Face à son incompréhension, elle lui précisa : « Le Montalboddo regroupe différentes relations de voyageurs, décrivant ce qu'ils ont vu. Ramusio a fait la même chose, il a composé un recueil de récits de voyages. »

Brunetti sortit son bloc-notes et écrivit le nom des auteurs et ce qu'il croyait être les titres : il s'agissait de volumes vieux de cinq cents ans, et voilà que quelqu'un avait tout bonnement fait irruption dans la salle et les avait emportés.

« Dottoressa, dit-il en revenant à leurs moutons, je voudrais voir les informations que vous avez sur cet homme.

– Avec plaisir. J'espère… j'espère…, commença-t-elle, mais elle oublia la suite de sa phrase et se tut.

– Pouvez-vous veiller à ce que personne d'autre ne touche à ces livres ? Certains de mes hommes seront ici cet après-midi pour vérifier les empreintes digitales. Si nous en arrivons au procès, nous aurons besoin de ces preuves.

– Si ? demanda-t-elle. Si ?

– Nous devons le trouver et nous devons être capables de prouver que c'est lui qui les a pris.

– Mais nous savons que c'est lui, rétorqua-t-elle, regardant Brunetti comme s'il avait perdu la raison. C'est évident. »

Brunetti ne souffla mot. L'évidence est parfois impossible à démontrer et ce que les gens savent être vrai ne sert souvent à rien pour un juge en l'absence de preuves. Il n'avait pas envie de le lui dire. Il préféra afficher une douce expression et fit un signe en direction de la porte.

Il la suivit le long du couloir, jusqu'à son bureau. Sur la table se trouvait une chemise bleue en carton qu'elle lui tendit en silence, puis elle alla se mettre à l'une des trois fenêtres qui donnaient sur le Rédempteur[1]. Il se demanda s'il y avait quelqu'un en mesure de rédimer ces livres pour elle. Il ouvrit la chemise et commença à en parcourir les documents.

Joseph Nickerson, né dans le Michigan trente-six ans plus tôt, et vivant actuellement dans le Kansas : c'est ce que lui apprenait le passeport. La photo lui indiquait que cet homme avait les cheveux et les yeux clairs, le nez droit un peu trop grand pour son visage et une petite fossette au menton. Il avait une expression tout à fait neutre et l'air détendu ; son visage était celui d'un homme sans secrets, qui pourrait s'asseoir près de vous dans un avion et vous parler aussi bien de sport que des horreurs qui se passent en Afrique. Mais non pas, songeait-il, de livres anciens.

Nickerson pouvait être un individu lambda de culture anglo-saxonne ou nordique, capable sans aucun doute de changer d'apparence en chaussant une

---

1. L'église du Rédempteur est un célèbre édifice situé sur l'île de la Giudecca, conçu et commencé en 1577 par l'architecte Andrea Palladio et terminé par Antonio da Ponte en 1592.

paire de lunettes et en laissant pousser ses cheveux, voire en se collant une barbe postiche. Dépourvu de tout signe particulier, il aurait été difficile de se rappeler le moindre détail de sa personne, hormis le vague souvenir de la franchise et de la loyauté qu'il dégageait.

Brunetti supposa qu'il s'agissait d'un professionnel en la matière, doté de cette qualité que possèdent les hommes inspirant une profonde confiance : l'apparence d'une probité naturelle, innée. C'était le genre d'homme à ne jamais se vanter, ne jamais juger ce qui est bon ou mauvais, mais ses manières, la confiance qu'il vous accordait, son intérêt patent pour ce que vous avez à dire et son goût de la connaissance le rendaient irrésistible. Brunetti avait rencontré deux hommes qui présentaient cette caractéristique, et même pendant leur interrogatoire, il douta de ce qu'il savait pourtant de source sûre à leur sujet. Au fil du temps, il avait fini par la voir comme un don, au même titre que la beauté ou l'intelligence. Un don inné, et ceux qui le possédaient pouvaient en user comme bon leur semblait.

Il prit délicatement le papier par un angle, le fit glisser sur la gauche et lut le suivant. La lettre de recommandation était signée du doyen de l'université de Lawrence, dans le Kansas. Ce dernier déclarait que Joseph Nickerson était un assistant en histoire européenne, spécialisé dans l'histoire du commerce maritime en Méditerranée ; il précisait aussi quel type de cours il assurait et espérait que la bibliothèque mettrait sa collection à la disposition du professeur. Son nom était tapé sous un paraphe illisible.

Il saisit la lettre par les deux coins du haut et la tint dans le rayon de lumière qui provenait de la fenêtre.

L'en-tête avait été imprimé sur le papier, sans doute par la même imprimante qui avait sorti la lettre. En fait, n'importe qui aurait pu le faire. Le Kansas, pensait-il, se trouvait quelque part au milieu des États-Unis ; il se souvenait vaguement que cet État était situé à gauche de l'Iowa ou en tout cas, pas très loin, mais il se trouvait, incontestablement, loin des côtes. Qu'était-ce donc que cette histoire de commerce maritime en Méditerranée ?

« Il faut que je prenne cela avec moi, dit-il, puis il demanda : Vous a-t-il donné une adresse ou un numéro de téléphone italien ? »

La dottoressa Fabbiani se détourna de sa contemplation de l'église. « Pourvu qu'ils figurent sur sa fiche. On ne les demande que pour les résidents qui utilisent la collection, expliqua-t-elle. Que va-t-il se passer à présent ? »

Brunetti remit les papiers à leur place et ferma la chemise. « Comme je l'ai indiqué, une équipe va venir prendre les empreintes digitales sur les livres et à la place où il avait l'habitude de s'asseoir, en espérant qu'elles coïncideront avec celles de nos dossiers.

– Vous en parlez comme d'une procédure ordinaire.

– Ça l'est.

– Pour moi, c'est comme si on me parlait du Far West. Pourquoi n'avons-nous eu aucune information sur ces gens ? Pourquoi ne nous a-t-on pas envoyé de photos d'eux, de manière à pouvoir nous mettre à l'abri ? demanda-t-elle, davantage en proie à la surprise qu'à la colère.

– Aucune idée. Il se peut que les bibliothèques qui ont subi des pillages ne veulent pas que cela se sache.

– Et pourquoi ?

– Avez-vous des mécènes ? Des bienfaiteurs ? »

Ces mots la figèrent. Il la regarda faire le lien de cause à effet et elle finit par dire : « Nous en avons trois, mais seul le privé compte véritablement. Le reste de l'argent provient de fondations.

– Quelle pourrait être la réaction du donateur privé ?

– Si elle apprenait que nous avons pu laisser faire une chose pareille ? » répliqua-t-elle en levant la main et en gardant les yeux fermés un moment. Elle prit une profonde inspiration comme pour se préparer à un choc, avant d'asséner : « Deux des livres appartenaient à sa famille.

– Appartenaient. »

Elle fixa le motif du parquet un instant avant d'expliquer : « Ils faisaient partie d'un très vaste legs. Cela doit remonter à plus de dix ans.

– De quels livres s'agit-il ? »

Elle avait juste à en donner le titre, ce qu'elle chercha à faire. Elle ouvrit la bouche, mais ne put proférer un seul son. Elle baissa de nouveau les yeux sur le sol, puis les leva sur lui. « L'un d'eux est un de ceux qui manquent. L'autre a perdu neuf pages, put-elle enfin énoncer. Le nom de la famille figure sur la liste centrale, dans le catalogue.

– C'est-à-dire ?

– Morosini-Albani. Ce sont eux qui nous ont donné le Ramusio. »

Brunetti fit de son mieux pour dissimuler son étonnement. Qu'un membre de cette famille pût être le mécène d'une quelconque institution était une surprise – pour ne pas dire un choc – pour tout Vénitien. Même si la branche principale de la famille avait donné au moins quatre doges à la Sérénissime, ses rejetons n'avaient engendré que des marchands et des banquiers. Tandis qu'un côté de la famille gouvernait, l'autre côté achetait – un partage des tâches qui dura, si Brunetti tenait bien les comptes, jusqu'au dogat du dernier Morosini, élu dans le courant du XVIIIe siècle.

La branche des Albani s'était terrée, en quelque sorte, dans son *palazzo* – qu'elle avait choisi de construire non pas sur le Grand Canal, mais dans un quartier où le terrain était moins cher –, et continuait à cultiver la grande passion de la famille : acquérir des biens. La comtesse actuelle, une veuve avec trois beaux-enfants, était une amie de sa belle-mère. La comtesse Falier était allée à la même école religieuse que la comtesse Morosini-Albani, benjamine d'un prince sicilien qui avait dilapidé au jeu toute la fortune familiale. C'était une tante célibataire qui payait ses frais de scolarité à l'époque. Elle épousa bien plus tard l'héritier du patrimoine des Morosini-Albani, écopant ainsi de son titre inférieur de noblesse, comme de ses trois enfants, nés d'un premier lit. Brunetti l'avait rencontrée quelques fois lors de dîners chez les parents de Paola où il lui avait parlé et il avait gardé, de ces soirées, le souvenir d'une femme pourvue d'une bonne éducation, intelligente et érudite.

« Qui vous a donné les livres ?

– La comtesse », spécifia-t-elle.

Comme beaucoup d'étrangers – et toute personne qui n'est pas née à Venise est considérée comme étrangère –, la comtesse Morosini-Albani avait décidé de devenir plus vénitienne que les Vénitiens. Son mari, épousé sur le tard, avait été membre du Club des Nobles, où il allait fumer le cigare et lire *Il Giornale*[1], en marmonnant de vagues propos sur le manque de

1. Quotidien national fondé en 1974 à Milan par Indro Montanelli, propriété de la famille Berlusconi depuis 1979.

respect à l'égard des personnes méritantes. Elle, de son côté, intégrait des comités pour sauver ceci ou cela, protéger tel endroit ou telle chose, ne manquait jamais une soirée d'ouverture à la Fenice[1] et écrivait sans relâche des lettres virulentes au *Gazzettino*. Que cette famille ait pu donner quelque chose, et de surcroît des livres précieux, obligea Brunetti à opérer une « suspension volontaire de l'incrédulité[2] ». Les Morosini-Albani étaient, ou avaient toujours été, des gens qui gardaient, et non point des gens qui donnaient ; la vie lui avait maintes fois prouvé que les gens ne changent pas en profondeur.

Mais, songea-t-il, après tout elle était sicilienne et appartenait à un peuple d'une prodigalité légendaire, pour le meilleur et pour le pire. Ses beaux-enfants avaient la réputation unanime d'être à la fois ingrats et stupides, si bien qu'elle décida, peut-être par méchanceté, de faire don de tous leurs biens sans discrimination, avant qu'ils ne puissent se les approprier. La comtesse Falier devait en savoir plus. « Avez-vous une idée de la réaction possible de la comtesse ? »

La dottoressa Fabbiani croisa les bras et se pencha en arrière contre le rebord de la fenêtre, les jambes droites et les pieds serrés, exactement comme le font les échassiers. « Tout dépend, je suppose, du degré de négligence qui nous sera imputé.

– Mon sentiment est que cet homme est un professionnel et qu'il agit sur commande. » Il lui fit cette remarque pour lui glisser que la négligence pourrait ne

---

1. Le célèbre opéra de Venise datant du XVIIIe siècle, reconstruit à l'identique après son incendie de 1996 et inauguré en 2003, qu'il est de bon ton de fréquenter.
2. Concept formulé par Coleridge.

pas être le principal facteur. « Il y a des chances qu'il travaille pour des collectionneurs à la recherche de pièces particulières, qu'il leur procure. »

Elle répliqua, en ronchonnant : « Au moins vous n'avez pas dit qu'il les "acquiert". »

– Cela aurait été déplacé, je pense, vu mon métier. Est-ce qu'elle donne aussi de l'argent à la bibliothèque ? demanda-t-il, sans prendre soin de nommer la comtesse.

– Cent mille euros par an. »

Les Morosini-Albani ? Lorsqu'il fut suffisamment remis de son étonnement pour pouvoir parler, Brunetti enchaîna : « Quelle importance cela a-t-il, pour vous ?

– Nous percevons chaque année des fonds de la ville, de la Région et du gouvernement central, mais ils servent tout juste à couvrir les frais de fonctionnement. Ce que les bienfaiteurs nous donnent nous permet de faire des acquisitions et des restaurations.

– Vous avez dit qu'elle vous a donné des livres. Y en avait-il beaucoup plus ? »

Elle tourna la tête pour éluder la question, mais comme elle ne trouva rien à regarder, elle redirigea son regard vers Brunetti. « Oui. C'était une donation considérable. Je suis sûre que l'initiative venait d'elle : son mari était… un Morosini-Albani. Elle nous a promis de nous léguer le reste de sa bibliothèque. » Elle marqua une pause, puis murmura : « Cette famille était le premier mécène de Manuce. » Quelque chose l'empêcha de continuer, peut-être par superstition. Si l'on parle des choses, elles risquent de ne pas arriver, et la bibliothèque perdrait ainsi ce trésor familial, constitué des livres du plus grand imprimeur de la plus grande ville d'imprimeurs.

Lorsque Brunetti, enfant, rechignait à aller à l'école, sa mère l'encourageait à sortir du lit en lui disant que chaque nouvelle journée lui apporterait une magnifique surprise. Elle ne pouvait pas avoir en tête la générosité des Morosini-Albani, mais elle avait certainement raison.

« Ne vous inquiétez pas, dottoressa. Cela reste entre nous. »

Soulagée, elle ajouta : « Leur collection est… considérable. La comtesse est la seule de la famille à comprendre la véritable valeur des livres et à être capable de les apprécier. Je ne sais pas où elle l'a appris – je n'ai jamais osé le lui demander –, mais elle s'y connaît énormément en incunables, et aussi en matière d'impression et de conservation. » Elle fit un ample geste de la main comme pour englober, sans doute, l'ensemble des talents de la comtesse, puis elle se tut brièvement, ne sachant trop jusqu'où elle pouvait s'ouvrir avec Brunetti. « Je lui ai demandé plusieurs fois son avis à propos de questions de conservation. Elle a le don, elle a le sens.

– Le sens ? »

Elle sourit. « "Amour" pourrait être un terme plus approprié. Comme je vous l'ai dit, elle nous les a promis.

– Promis ? »

Elle jeta un coup d'œil circulaire dans le bureau. « Après cette histoire, commença-t-elle, comme si les Vandales venaient juste de quitter la pièce avec fracas, en ne laissant que larmes et désolation dans leur sillage, elle ne nous fera jamais plus confiance.

– Cela n'aurait-il pas pu se passer tout aussi bien dans son palais ?

– Vous voulez dire que quelqu'un aurait pu la flouer chez elle ?

– Oui.

– Je ne vois vraiment pas comment cela pourrait arriver, chez elle ou ailleurs », asséna-t-elle.

3

Brunetti sourit, amusé par cette remarque sans aucun doute pertinente puiqu'elle reflétait plus ou moins l'opinion qu'il s'était faite de la comtesse. Mais après réflexion, il se rendit compte que la dottoressa Fabbiani était en train d'exprimer, le plus sincèrement du monde, combien elle appréciait la férocité de cette femme – le mot lui jaillit à l'esprit lorsqu'il en chercha un pour la caractériser. Même s'il ne l'avait rencontrée que cinq ou six fois dans sa vie, elle avait fait si souvent l'objet de conversations entre sa femme et sa belle-mère qu'il s'était forgé l'image d'une personne aux opinions excessivement tranchées et qui était aussi capable – chose qui lui avait toujours inspiré une profonde admiration – des haines les plus farouches. Et, chose plus admirable encore, elle semblait avoir un sens démocratique de la haine, puisqu'elle vouait au mépris aussi bien l'Église que l'État, et la gauche que la droite. Paola l'adorait et sa mère la voyait comme une amie chère, nouvelle preuve de la nature intrinsèquement démocratique du monde féminin.

« Dottoressa, je dois vous avouer deux choses » dit-il, dans l'espoir de les faire revenir tous deux à l'ordre du jour. Son visage trahit une légère inquiétude, mais elle ne souffla mot.

« D'abord, mon ignorance quant à la valeur marchande des livres qui manquent, et ensuite le marché que peuvent représenter les pages qui ont été volées. C'est pourquoi je pense que cette affaire doit être traitée par le secteur chargé des vols d'œuvres d'art, mais ces experts sont à Rome et…

– Et ils ont d'autres chats à fouetter ? »

Tous deux trouvèrent hors de propos de se livrer à des commentaires sur l'explosion des vols perpétrés, lors des dernières années, dans les maisons, les églises, les bibliothèques et les musées – même la bibliothèque du ministère de l'Agriculture en avait été victime. Brunetti lisait régulièrement les circulaires émanant d'Interpol et de la police chargée des vols d'œuvres d'art, qui faisaient état des vols les plus importants, non seulement de tableaux et de statues, mais aussi de manuscrits et de livres : soit des volumes entiers, soit les pages qui en avaient été arrachées. Tous ces ouvrages constituaient une proie idéale pour cette dernière génération de vandales, lâchés sans surveillance au sein des plus vieilles collections d'Europe.

« Combien d'ouvrages avez-vous ici, dottoressa ? demanda-t-il.

– La collection complète en compte environ trente mille, et la majeure partie est conservée en bas, dans la section des livres ordinaires. Ici en haut, précisa-t-elle, en désignant de la main les salles derrière Brunetti, nous avons environ huit mille volumes ; la collection de manuscrits en contient à peu près deux cents de plus.

– Autre chose ?

– Nous avons une collection de miniatures persanes : un marchand les a ramenées d'Iran au tournant du siècle dernier. On peut les voir, mais à condition qu'un membre du personnel reste avec l'usager. »

Cela rappela à Brunetti que quelqu'un était demeuré auprès du docteur Nickerson au moins une partie du temps qu'il avait passé dans la bibliothèque, peut-être même une grande partie. « Avez-vous enregistré la demande d'inscription de celui que vous appelez Tertullien ?

– Que lui voulez-vous ? rétorqua-t-elle d'un ton protecteur.

– Je voudrais lui parler. Vous avez dit qu'il est ici depuis si longtemps qu'il est vu comme quelqu'un de l'équipe. Si c'est le cas, il a bien dû remarquer que quelque chose ne tournait pas rond.

– Je pense qu'il n'y a aucune raison de l'impliquer », insista-t-elle.

Brunetti était las de jouer au bon flic. « Dottoressa, je ne suis pas sûr que le magistrat chargé de l'affaire le verra de cet œil.

– Que voulez-vous dire ? » Il sentit le ton de la femme se durcir à ces mots.

« Qu'un magistrat vous enjoindra certainement de nous fournir son nom et toute information qui pourrait nous aider à le situer. » Et, sans lui laisser le temps de protester, il ajouta : « Il s'agit d'une bibliothèque, dottoressa, et non pas d'un cabinet de médecin ou d'une église. Son nom et son adresse ne sont pas des informations sensibles, et tout porte à croire qu'il a été témoin d'un délit. La seule façon de le savoir est de lui parler.

– Je crois que ce pourrait être… difficile pour lui.

– Et pourquoi ? s'informa Brunetti, en usant d'une voix plus douce.

– Il a eu des problèmes.

– De quelle nature ? » Cette fois, Brunetti eut recours à cette infinie patience qui peut seule amener les gens à dire ce qu'ils hésitaient à révéler.

Il la vit se demander jusqu'où elle était prête à pousser les aveux. « Il a dû être prêtre autrefois, ou tout au moins séminariste. »

Cela explique son intérêt pour Tertullien, songea le commissaire. « A dû être ? » Elle le regarda d'un air confus. « A-t-il décidé de jeter le froc aux orties, ou de cesser ses études pour devenir curé ? Ou y a-t-il été contraint ?

– Je ne sais pas. Je ne peux pas lui poser ce genre de question.

– Mais vous avez bien une idée là-dessus ? » La gêne qu'il avait détectée dans ses inflexions de voix avait activé ses antennes.

« Pourquoi parlons-nous de lui ? Tout ce qu'il fait, c'est venir s'asseoir ici et lire. Ce n'est pas un crime.

– Assister à un crime pendant que vous êtes assis à lire et ne pas le signaler en est un, quoi qu'il en soit, répliqua Brunetti, en tordant la vérité à son avantage.

– C'est quelqu'un de bien », réitéra-t-elle. Il savait, de par sa longue expérience, que les gens bien ne sont pas nécessairement des gens courageux et n'ont pas nécessairement envie d'être impliqués dans la vie des autres.

Brunetti avait lu, longtemps auparavant, un livre de ce théologien – il savait qu'il était avocat et pensait qu'il était africain –, et il se souvenait qu'il ne l'avait pas du tout apprécié. Il n'avait jamais rencontré un ennemi aussi farouche du plaisir que ce Tertullien, qui ne semblait pas non plus avoir grand-chose à dire sur la vie en général. Qui pouvait bien avoir envie de lire un tel auteur ?

Brunetti revint à la charge. « Voulez-vous bien me montrer sa fiche d'inscription ?

– Faut-il vraiment que vous lui parliez ?

– Oui.

– Il s'appelle Aldo Franchini, il habite à Castello, vers la fin de la via Garibaldi. »

Brunetti sortit son carnet et nota le nom et l'endroit, et la regarda droit dans les yeux. Qu'elle sache où il vivait n'était pas anodin. « Vous le connaissez bien ?

– Non, pas du tout », répliqua-t-elle, en allant s'asseoir derrière son bureau. Elle lui indiqua de la main une chaise où il prit place, en espérant que cela détende l'atmosphère. « En revanche, je connais bien son jeune frère, qui allait à l'école avec moi. Il m'a appelée il y a trois ans environ, pour me dire que son frère aîné était revenu en ville. Il s'était retrouvé au chômage à cause d'un différend avec son directeur, ce qui signifiait qu'il ne pourrait pas obtenir de lettre de recommandation. Il voulait venir lire ici et son frère m'a demandé si je voulais bien lui donner mon autorisation, même s'il avait perdu son emploi.

– Qui consistait en quoi ?

– Il enseignait la théologie dans une école privée de garçons à Vicence.

– La théologie ? »

Elle lui lança un regard neutre et spécifia : « Il était prêtre, à l'époque. » Elle parlait désormais de lui avec bien plus d'assurance que précédemment.

« À l'époque ?

– J'estimais que cela ne me regardait pas, dit-elle, sans prendre la mouche comme beaucoup auraient pu le faire en l'occurrence.

– Qu'avez-vous fait ?

– Je lui ai dit que si son frère était domicilié à Venise, il n'avait pas besoin de lettre et qu'il avait juste à venir ici avec une pièce d'identité pour faire sa demande de carte de lecteur.

– Cela ne vous intéressait pas de savoir ce qu'il avait fait auparavant ? insista Brunetti.

– S'il veut lire, c'est son droit. Le reste n'est pas mon affaire.

– Son frère ne vous a rien dit sur lui ?

– Cela fait-il partie de votre travail de policier ou est-ce pure curiosité personnelle ?

– Toute personne lisant Tertullien m'intéresse, a priori, répondit-il avec un sourire, en mentant à moitié.

– Il m'a dit que son frère était un grand lecteur et qu'il avait besoin d'un endroit où trouver des livres. » Elle s'adoucit et ajouta, d'un ton plus mielleux : « Il disait que ça l'aiderait, de lire.

– Lui avez-vous demandé pourquoi son frère avait besoin d'aide ? » s'enquit Brunetti, même s'il doutait qu'elle l'ait fait.

Elle sourit pour la première fois et perdit alors toute ressemblance avec un oiseau : elle devint une femme de grande taille, au visage avenant et intelligent. « Je pense qu'il voulait que je lui pose la question, mais je ne l'ai pas fait. Sa parole me suffisait.

– À l'époque où il a commencé à venir ici, avez-vous appris des choses sur lui ?

– Non, pas vraiment. Il lisait saint Augustin, saint Jérôme, saint Maxime le Confesseur, mais il a commencé par Tertullien, d'où le nom que nous lui avons donné.

– Pourquoi faites-vous ce genre de chose ?

« – Les bibliothécaires sont…, commença-t-elle ; elle réfléchit un instant, puis reprit : Les bibliothécaires sont des gens spéciaux. » Brunetti n'eut aucun mal à le croire. « C'était la première personne, aussi loin que nous puissions nous en souvenir, à avoir demandé Tertullien et qui l'ait véritablement lu. Non pas pour une recherche universitaire, mais parce qu'il s'intéressait sérieusement à ce livre. » Son admiration transparaissait en filigrane derrière chacun de ses mots.

« Quel genre de contact avez-vous avec lui ?

– Au bout d'un moment, nous avons commencé à nous dire bonjour, et de temps en temps, je lui demandais ce qu'il lisait.

– Et quelle impression vous fait-il, lorsque vous discutez avec lui ? »

Elle sourit, mais Brunetti réalisa cette fois que c'était pour le prévenir de ne pas prendre sa réponse au sérieux. « Vous voulez savoir si, d'après moi, il y a quelque chose qui cloche chez lui ?

– Eh bien, si on le juge à ses lectures… »

Elle rit. « Oui, certains d'entre nous ont l'air de vivre sur une autre planète, mais peut-être espère-t-il trouver…

– Des réponses ? »

Elle leva les deux mains, comme pour se protéger de la tentative de Brunetti de lui imposer ses propres mots, et finit par dire : « Je ne sais pas ce que les Pères de l'Église peuvent nous apporter aujourd'hui. Du réconfort, peut-être.

– Venant d'une religion agonisante ? Ou pour elle ?

– C'est bien ce qu'elle est, n'est-ce pas ?

– D'un point de vue statistique, oui. » Brunetti ne savait que trop en penser, mais il y songeait toujours avec regret. « Dans pas bien longtemps, ils risquent de se retrouver tous au chômage, ajouta-t-il, avant de préciser : Les prêtres, les moines, les évêques.

– Mais pas si vite que cela, à mon avis, nuança-t-elle.

– Non, probablement que non », approuva Brunetti. Puis, pour échapper à l'ambiance qui s'était créée, il enchaîna : « Voulez-vous bien laisser ces livres sur la table, s'il vous plaît ?

– Qu'est-ce que vos hommes vont en faire ? Leur mettre de la poudre noire dessus ? » Sa crainte était patente.

« Ça, c'est seulement à la télévision. On se sert de laser, maintenant, juste pour éclairer les pages et les photographier. Cela n'abîme absolument pas le papier. » Il vit combien il lui était difficile de le croire, comme pour toute personne ayant grandi avec le cinéma et la télévision, où l'on voit les techniciens avec leurs brosses et leur poudre. « Croyez-moi, il n'y aura rien en contact avec le papier. Vous pouvez être présente pendant qu'ils travaillent si vous le souhaitez et je vous promets qu'ils mettront des gants.

– Quand viendront-ils ?

– Ils devraient être là aujourd'hui. »

Elle ouvrit un tiroir de son bureau et en sortit sa carte de visite. Il la glissa dans sa poche sans la regarder, remercia la dottoressa et lui tendit la main.

« C'est tout ? demanda-t-elle en la lui serrant.

– Pour l'instant », répondit-il, et il quitta la bibliothèque.

4

Brunetti retourna à la questure et s'arrêta en chemin pour prendre enfin son café, mais il le but presque à contrecœur, sachant pertinemment que c'était davantage une manière de procrastiner que du pur plaisir. Il décida d'aller faire directement son rapport au vice-questeur sur ce qui s'était passé à la bibliothèque. En gravissant les marches qui menaient au bureau de son supérieur, il songea à une histoire, sans doute fausse, qu'il avait entendue une fois à propos d'une star du cinéma – était-ce Jean Harlow ? On racontait que lorsqu'on lui offrit un livre pour son anniversaire, elle le sortit du papier cadeau, le regarda et dit : « Un livre ? Mais j'en ai déjà un. »

Tout comme aurait pu le faire le vice-questeur Patta, il en était sûr et certain.

Lorsqu'il entra dans le petit bureau où était habituellement assise la signorina Elettra, il remarqua que sa chaise était vide et que son ordinateur « dispersait son odeur suave dans la brise du désert[1] ». Elle s'était souvent absentée les semaines précédentes. Le vice-questeur Patta, son supérieur hiérarchique, ne l'avait

1. Citation extraite de *Elegy Written in a Country Church Yard* de Thomas Gray.

pas remarqué ou – plus probablement – avait eu peur de la questionner à ce propos. Comme elle n'était pas sa secrétaire personnelle, Brunetti pensa que ce n'était pas à lui d'enquêter et ne dit rien. Cette fois, son absence signifiait qu'il serait livré sans filet à l'humeur du vice-questeur. Était-il un homme ou une mauviette ? Brunetti frappa à la porte.

« *Avanti* », entendit-il, et il entra.

Dottor Giuseppe Patta, la fine fleur de la virilité palermitaine, était assis à son bureau, en train de plier son mouchoir, qu'il glissa dans la poche de sa veste. Brunetti était content de voir que le mouchoir était blanc – en lin, sans doute –, de ce blanc des os de dinosaures dans le désert de Gobi, de l'uniforme des arbitres du Lord's[1], ou encore des dents de lait d'un enfant, que seule l'eau de Javel peut garantir. Patta ne sacrifierait jamais aux libertés vestimentaires modernes ; il faudrait lui passer sur le corps avant qu'il n'accepte de porter une pochette de couleur. Sur certains points, comme ceux habituellement relatifs à la mode, Patta était un homme aux principes inébranlables ; c'était un honneur que de partager la même pièce que lui.

« Bonjour, monsieur le vice-questeur », dit Brunetti, résistant à son impulsion de faire des courbettes.

Patta fit un dernier pli à son mouchoir et tourna son attention vers Brunetti. « Est-ce urgent ? s'informa-t-il.

– Cela pourrait l'être, dottore, répondit Brunetti l'air de rien. Je pensais qu'il était bon que vous soyez au courant de l'affaire avant qu'elle ne soit révélée à la presse, comme ce sera très certainement le cas. »

Si son mouchoir avait pris feu, Patta n'en aurait pas été davantage galvanisé. « Qu'y a-t-il donc ? » Il passa

---

1. Célèbre stade de cricket.

60

du stade de la légère contrariété à celui de défenseur de la nation.

Brunetti s'approcha du bureau et resta debout derrière un des fauteuils. Il posa ses mains sur le dossier et déclara : « Nous avons reçu un appel de la Biblioteca Merula rapportant un acte de vandalisme doublé d'un vol.

– De quoi s'agit-il, de vandalisme ou de vol ?

– Quelqu'un a coupé des pages dans plus de vingt livres, dottore. Et il manque aussi des livres, qui ont été probablement volés.

– Pourquoi l'aurait-on fait ? »

Brunetti pria en silence sainte Monique, l'emblème de la patience. Elle était aussi la sainte protectrice des victimes de sévices, si bien que Brunetti pouvait l'invoquer pour les deux missions, selon le degré de férocité de Patta. « Certains livres, ainsi que certaines pages de livres rares, sont très prisés auprès des collectionneurs, monsieur, et ont une valeur certaine.

– Qui a fait cela ?

– Tous ces livres étaient consultés par Joseph Nickerson, qui avait présenté une lettre de référence de l'université du Kansas et qui avait donné un passeport américain comme pièce d'identité.

– Est-il encore en cours de validité ?

– Je n'ai pas encore pris contact avec les autorités américaines, monsieur le vice-questeur. »

Il jeta un coup d'œil à sa montre et vit qu'il était inutile de tenter quoi que ce soit d'autre de la journée.

Patta le regarda longuement et dit : « Il semble que vous n'ayez pas fait grand-chose, Brunetti. »

Brunetti se voua de nouveau à sainte Monique. « Je viens juste de rentrer et je voulais vous le faire savoir, au cas où il serait nécessaire de traiter avec les journalistes.

– Pourquoi cela devrait-il être nécessaire ? demanda-t-il, comme si on venait de lui insuffler l'idée que Brunetti lui cachait quelque chose.

– L'un des mécènes de la bibliothèque est la comtesse Morosini-Albani. En fait, c'est elle qui avait légué au moins un des livres qui manquent. Nous redoutons sa réaction.

– Elle reprendra probablement tout ce qu'elle leur a donné. C'est ce que ferait toute personne douée de bon sens. »

C'est sans aucun doute ce que ferait Patta, même si Brunetti avait besoin de bien plus que de l'aide des saints pour croire que le vice-questeur pût léguer un seul livre à une bibliothèque.

Puis, à brûle-pourpoint, Patta demanda : « C'est ce que vous vouliez dire, au sujet de la presse ? Qu'elle s'intéressera à cette femme ?

– Je pense que c'est possible, monsieur. Sa famille est très connue en ville et l'appétit des journalistes a certainement été aiguisé par son beau-fils. »

Le regard de Patta devint farouche lorsqu'il réalisa la teneur de la remarque de Brunetti et imagina les critiques venues des hautes instances. Brunetti, qui avait effacé toute émotion de son visage, se tenait debout, attentif, neutre, attendant la réponse de son supérieur.

« Voulez-vous dire Gianni ?

– Oui, monsieur. »

Patta, qui avait une mémoire d'éléphant en matière de faits divers, se mit à passer en revue, à la vitesse de l'éclair, les photos et les titres qui avaient fait la une de la presse à scandales pendant des années. Le gros titre préféré de Brunetti était : « *Gianni paga i danni*[1] », pour la rime entre le nom du personnage et les dommages qu'il avait dû payer après avoir détruit l'équipement sonore d'un groupe dont il n'avait pas aimé la musique dans un club de Lignano. De même, la formule « *Nobile ignobile*[2] » avait chapeauté son arrestation suite au vol à l'étalage qu'il avait commis dans un magasin d'antiquités de Milan, sans oublier la délicieuse expression « *No-account Count*[3] », que la presse britannique avait forgée après sa tentative de vol dans un magasin de New Bond Street. Dans le souvenir de Brunetti, il avait un emploi d'attaché auprès de l'ambassade italienne à Londres à cette époque ; jouissant de l'immunité diplomatique, il ne risquait donc, au pire, que d'être déclaré *persona non grata* et expulsé d'Angleterre.

Même si, pour Brunetti, Gianni n'était aucunement impliqué, tout au moins à sa connaissance, dans l'affaire de la bibliothèque ou dans le vol, mentionner le nom de famille suffirait à réactiver le miracle de San Gennaro[4] au sein de la presse : secouez l'ampoule un bon coup, et le sang se liquéfiera de nouveau. Le jeune homme – qui n'était plus très jeune et n'avait toujours pas grand-chose d'un homme – avait tellement défrayé la chronique que toute association, même la plus fortuite, entre son nom et n'importe quel délit, était aussitôt livrée en pâture aux journaux ; la comtesse voulait tout, sauf voir le nom de sa famille exposé ainsi à l'opinion publique.

« Pensez-vous… ? » commença Patta.

---

1. « Gianni paye les pots cassés ».
2. « Noble ignoble ».
3. « Le comte sans compte ».
4. Saint Janvier, évêque de Bénévent, le plus célèbre des saints patrons de la ville de Naples.

Brunetti attendait, mais son supérieur n'acheva pas sa question.

Patta détourna son attention et Brunetti vit le moment précis où le vice-questeur se remémora que Brunetti, de par son mariage, avait un pied dans le monde de la noblesse. « La connaissez-vous ?

– La comtesse ?

– De qui d'autre parlions-nous ? »

Au lieu de le reprendre, Brunetti se limita à dire : « Je l'ai rencontrée quelquefois, mais je ne peux pas dire que je la connaisse.

– Qui sinon ?

– Qui la connaîtrait ?

– Oui.

– Ma femme et ma belle-mère, répondit Brunetti du bout des lèvres.

– Croyez-vous que l'une d'elles pourrait lui parler ?

– À quel sujet ? »

Patta ferma les yeux et émit un profond soupir, comme on le fait lorsque l'on est forcé d'avoir affaire à des gens de piètre intelligence. « Au sujet de la manière dont elle pourrait répondre à la presse, si cette dernière venait à avoir vent de l'affaire.

– Et quelle pourrait être cette réponse, monsieur ?

– Qu'elle n'a aucun doute sur le fait que la question sera réglée rapidement.

– Grâce au dur travail et à l'intelligence de la police locale ? » suggéra Brunetti.

Les yeux de Patta fulminaient face aux sarcasmes de Brunetti, mais il se contenta de répondre : « Quelque chose de ce genre. Je ne veux pas que les institutions de cette ville soient victimes de critiques. »

Brunetti ne put que faire un signe d'assentiment. Les citoyens avaient une foi totale dans la police. Il fallait épargner tout reproche aux bibliothèques autorisant les vols. Il se demanda si, de l'avis de Patta, cette amnistie ne devait pas être élargie à toutes les institutions publiques de la ville. Et pourquoi pas de la province ? Voire du pays ?

« Je dîne demain soir chez ma belle-mère, monsieur, je lui en ferai part », dit Brunetti, en rappelant incidemment au bon souvenir de Patta lequel des deux prendrait place chez le comte et la comtesse Orazio Falier, et qui vivrait un jour dans le *palazzo* Falier et contemplerait les façades des palais se dressant de l'autre côté du Grand Canal.

Patta, qui était sot mais pas complètement idiot, changea son fusil d'épaule et asséna : « À vous de jouer, Brunetti. Voyez ce que les Américains ont à vous dire.

– Oui, monsieur », répliqua Brunetti en s'écartant de la chaise.

La signorina Elettra était revenue à son bureau, sur lequel trônait à présent un grand vase où elle était en train d'arranger plusieurs dizaines de tulipes rouge vermillon. Le rebord de la fenêtre croulait aussi sous une profusion de jonquilles : deux couleurs en compétition, pour tout spectateur disposé à leur prêter attention. Mais Brunetti tourna la sienne vers la créatrice de cette exubérance florale, qui portait ce jour-là une robe en laine orange et des chaussures si pointues, et avec des talons si hauts, que le moindre coup de pied ou d'orteil aurait pu provoquer sans effort une blessure mortelle.

« Qu'est-ce que le vice-questeur avait donc à vous dire, commissaire ? » demanda-t-elle aimablement.

Brunetti attendit qu'elle se fût assise avant de prendre appui contre le bout de corniche dépourvu de vases. « Il a demandé d'où provenaient les fleurs », répondit-il, sans se départir de son sérieux.

Brunetti avait rarement le plaisir de la décontenancer, mais cette fois, il y parvint pleinement et décida de continuer sur sa lancée. « C'est lundi, donc il n'y a pas de marché à Rialto, ce qui implique que vous les avez achetées chez un fleuriste. » Il prit une expression sévère pour déclarer : « J'espère que les frais de fonctionnement peuvent couvrir cet achat. »

Elle fit un sourire aussi lumineux que les fleurs. « Ah, mais je ne piocherais jamais dans cette caisse, dottore. » Elle laissa quelques secondes s'écouler et précisa : « On me les a envoyées. » La teneur en glucose de son sourire monta en flèche et elle demanda : « Mais qu'*avait*-il donc à dire, le vice-questeur, aujourd'hui ? »

Brunetti attendit un bref instant avant de s'avouer vaincu, puis sourit pour lui montrer qu'il était bon joueur. « Je lui ai parlé du pillage – de quelques-uns des pillages – à la Biblioteca Merula.

– De livres ? s'enquit-elle.

– Oui, et d'un grand nombre de cartes et de pages de titre arrachées dans d'autres ouvrages.

– Qu'ils peuvent donc très bien voler aussi.

– Parce qu'ils sont abîmés ? demanda-t-il, surpris de l'entendre tenir les mêmes propos que la dottoressa Fabbiani.

– Si vous cassez le nez d'un buste, vous avez en main la partie la plus importante du visage, n'est-ce pas ?

– Si vous arrachez une carte dans un livre, répondit-il du tac au tac, vous avez toujours en main le texte entier.

« – Mais il est abîmé en tant qu'objet, insista-t-elle.

– Vous parlez comme la bibliothécaire.

– J'espère bien. Ils passent leur vie à travailler avec des livres.

– Tout comme les lecteurs. »

Cette fois, elle lui répondit par un rire. « C'est vraiment ce que vous voulez dire ?

– Que les pages qui manquent ne changent pas le livre ?

– Oui. »

Il se hissa à la force des poignets sur l'appui de la fenêtre, laissant ses jambes pendiller. Il observa ses pieds, qu'il agita l'un après l'autre. « Tout dépend de ce que vous entendez par "livre", non ?

– En partie, oui.

– Si le but d'un livre est de présenter un texte, cela n'a pas d'importance si on le prive de ses cartes.

– Mais ?… » lança-t-elle.

Il voulait lui montrer qu'il était capable de voir l'autre face de l'argumentation, c'est pourquoi il enchaîna : « Mais si c'est un objet qui contient des informations sur un moment particulier – la manière dont sont dessinées les cartes, par exemple, et qui est représentatif de… »

La porte de Patta s'ouvrit et l'homme apparut. Il fusilla du regard Brunetti, assis d'une manière aussi décontractée qu'un élève sur un pupitre fleuri, puis sa secrétaire, qu'il voyait en grand conciliabule avec l'ennemi. Tous trois se glacèrent.

Patta finit par dire : « Puis-je vous voir un instant, signorina ?

– Bien sûr, monsieur le vice-questeur », répondit-elle en se levant en douceur et en remettant sa chaise à sa place.

S'abstenant de gaspiller le moindre mot avec Brunetti, Patta retourna à son bureau et disparut. La signorina Elettra évita de regarder Brunetti tandis qu'elle suivait son supérieur. La porte se referma.

Brunetti sauta à terre ; il jeta un coup d'œil à sa montre et constata qu'il pouvait rentrer chez lui, pleinement en paix avec sa conscience.

5

L'histoire du vol intriguait les enfants, qui voulaient comprendre comment il avait pu se produire. Brunetti leur donna une vague évaluation de la taille des pages et insista sur le fait qu'il était indispensable pour le voleur de ne pas les froisser, ni de les abîmer. Raffi alla chercher dans sa chambre le MacBook Air que ses grands-parents lui avaient offert à Noël. Il l'ouvrit, le posa près de lui et arracha quelques pages du dernier numéro de l'*Espresso*[1]. Il les plia soigneusement, les plaça sur le clavier et ferma le couvercle, puis les toisa tous, en quête de leur approbation.

Chiara fit remarquer qu'un bout de papier dépassait d'un côté. « Si j'avais celui avec le plus grand écran, vous ne verriez pas les bords », rétorqua Raffi.

Sans poser de question, Chiara alla au bureau de Paola et revint avec la serviette en cuir usagé dont sa mère ne s'était plus servie depuis dix ans, mais qu'elle ne pouvait se résoudre à jeter. Elle prit la revue des mains de Raffi et en arracha à son tour quelques pages, les mit au creux de sa main gauche puis les recouvrit tout doucement du côté le plus épais de l'ordinateur.

1. Hebdomadaire italien de politique, culture et économie, de sensibilité de gauche.

Lorsqu'elle ferma sa main, les pages se recroque-villèrent contre les côtés de l'appareil sans toucher le couvercle. Elle le fit pénétrer sans heurts dans son étui matelassé, dont elle tira le haut de la fermeture Éclair, puis le glissa dans la serviette. « C'est comme cela que je procéderais », dit-elle. Puis, pour lever le moindre doute, elle fit le tour de la table et les laissa tous regarder à l'intérieur, où tout ce qu'ils purent voir, c'était le couvercle de l'innocent ordinateur, bien à l'abri dans son étui.

Brunetti s'abstint de faire remarquer qu'il y a bien longtemps que les gardiens ne tombent plus dans ce panneau.

« Parce que les autres, dans la bibliothèque, reste-raient juste là à le regarder faire et à applaudir des deux mains ? ironisa Raffi, agacé de constater que la tactique de sa sœur était aussi astucieuse que la sienne.

– S'il n'y avait personne d'autre dans la salle à ce moment-là, aucun risque que ça arrive, répliqua-t-elle.

– Et s'il y avait quelqu'un ? » suggéra Brunetti. Il n'avait pas mentionné les livres volés, mais n'avait pas envie de se lancer dans un autre discours sans fin.

« Tout dépend de leur degré de concentration sur leur lecture », intervint Paola. Brunetti savait, de par sa longue expérience, que Paola ne verrait même pas arriver l'Armaggedon, si cela devait se produire au moment où elle serait en train de lire – pour la sept cent douzième fois – le passage de *The Portrait of a Lady* où Isabel Archer découvre la trahison de Mme Merle. Parvenue à ce passage du roman, les kidnappeurs pour-raient entrer dans la maison et les enlever tous les trois, à cor et à cri ; elle, elle continuerait à lire. Et à lire.

Après cette démonstration d'habileté – Brunetti espérait que Chiara n'en viendrait jamais à l'exploiter –, ils retournèrent à leurs *fusilli* agrémentés d'une sauce aux thon, câpres et oignons. La conversation roula ensuite sur d'autres sujets et Brunetti ne fit allusion au lecteur ecclésiastique qu'au moment où il prit son café au salon, en compagnie de Paola.

« Tertullien, ce monstre ? s'exclama-t-elle.

– Le vrai, ou celui qui lisait à la bibliothèque ?

– Je n'ai aucune idée de qui peut bien être ce lecteur de la bibliothèque. Je veux dire le vrai ; quand était-ce, au IIIe siècle ?

– Je ne m'en souviens pas, avoua Brunetti. Mais ce doit être plus ou moins à cette époque. »

Paola mit sa tasse vide sur la soucoupe et la posa sur la table basse devant le canapé, puis se pencha en arrière et ferma les yeux. Il savait à quoi elle se préparait et même après toutes ces années passées à ses côtés, il s'étonnait encore de la voir faire : tout était là, derrière ses paupières, et elle avait juste à se concentrer suffisamment pour faire jaillir les choses d'il ne savait quelle source. Si elle avait lu le livre, elle se souvenait de sa signification générale ; si elle l'avait lu attentivement, elle se souvenait carrément du texte. En revanche, elle n'avait aucune mémoire des visages et pouvait oublier qu'elle avait rencontré telle ou telle personne, tout en se remémorant parfaitement le contenu de leur conversation.

« "Vous êtes la porte d'entrée du diable ; vous êtes celle qui a brisé le sceau de l'inviolabilité de l'arbre défendu et vous êtes celle qui a la première abandonné la loi divine ; vous êtes celle qui l'a persuadé que le diable n'était pas assez courageux pour attaquer…" » Elle ouvrit les yeux, le regarda et lui fit un sourire de requin.

«Et si tu en veux d'autres sur les femmes, il y a mon autre cher copain, saint Augustin. » Elle se mit de nouveau dans un état de transe et cita, au bout d'un moment : «"Combien plus agréable est la cohabitation de deux amis, comparée à celle d'un homme et d'une femme." » Revenant au présent, elle demanda : « N'est-il pas temps que tous ces types s'affichent en plein jour ?

– C'est une position extrême », asséna-t-il, comme il le lui avait dit et redit un nombre incalculable de fois. Mais s'il l'estimait autant, c'était parce qu'elle prenait si souvent, justement, ce genre de posture. « Je pense qu'il parlait de la conversation, dans ce passage ; du fait que les hommes parlent plus facilement entre eux qu'avec une femme.

– Je sais. Mais j'ai toujours trouvé bizarre que des hommes puissent tenir de tels propos sur les femmes – oserait-on appeler cela prendre des "positions extrêmes" ? – et devenir tout de même des saints.

– C'est probablement parce qu'ils ont dit, aussi, bien d'autres choses.

– Je trouve bizarre également que des gens puissent être sanctifiés pour ce qu'ils ont dit, alors que ce que l'on fait est tellement plus important. » Puis, en sautant du coq à l'âne, avec une rapidité qui le surprenait encore, elle demanda : « Qu'est-ce que tu vas faire, maintenant ?

– Demain, j'appelle les Américains pour voir si le passeport est authentique. Et je demanderai à la signorina Elettra de contacter les autres bibliothèques de la ville pour savoir si Nickerson y est allé. J'appellerai aussi cette université du Kansas pour vérifier s'il y a véritablement travaillé. Et je chercherai à localiser ce Tertullien.

– Bonne chance. Cela m'intrigue de savoir qui peut bien lire un type pareil.

– Moi aussi », répondit Brunetti, se demandant s'ils n'avaient pas un exemplaire de Tertullien à la maison pour le lire au lit. Comme cela signifiait mettre de côté son livre de chevet du moment, *The White War*, un livre d'histoire anglais sur la guerre dans le Haut-Adige, une guerre où son grand-père avait combattu, il résista à cette piètre tentation. Il décida de revenir à la stupidité monolithique du général Cadorna, qui livra onze batailles inutiles sur l'Isonzo et reprit l'idée romaine d'exécuter un homme sur dix au sein de tout bataillon battant en retraite ; le général qui mena à la mort un demi-million d'hommes dans un but médiocre et sans en retirer le moindre bénéfice. Est-ce que cela consolerait Paola que la plupart des victimes de la férocité de Cadorna soient des hommes, et non pas des femmes ? songea-t-il. Probablement que non.

En se rendant le lendemain à la questure, Brunetti réfléchit à la question de la presse et se demanda s'il n'en avait pas parlé trop précipitamment à Patta. La dottoressa Fabbiani n'allait certainement pas contacter les journalistes et il jugeait Sartor suffisamment loyal pour garder la bouche cousue. Seuls la dottoressa Fabbiani et Sartor savaient véritablement ce qui s'était passé dans la bibliothèque et eux seuls avaient vu les papiers certifiant les titres de tous les livres que Nickerson avait consultés, même si elle et Brunetti étaient les seuls à avoir vu tous les livres qui avaient été abîmés. Elle avait tout intérêt à se taire, jusqu'à ce qu'elle trouve le moyen d'en faire part à la comtesse. Brunetti était un agent de la fonction publique et pouvait très bien imaginer comment les journalistes traiteraient l'affaire, donc il ne vit aucune raison de les informer de ces vols. Les autorités avaient été prévenues : la presse pouvait bien aller au diable.

La première chose qu'il fit en arrivant dans son bureau fut d'appeler la dottoressa Fabbiani, qui lui apprit, ce qui ne l'étonna aucunement, que le docteur Nickerson n'était pas revenu à la bibliothèque ce matin-là. Il la remercia et téléphona à l'ambassade américaine à Rome. Il se présenta, puis expliqua pourquoi il avait besoin de vérifier le passeport de Nickerson ; il se contenta de dire que cet homme était soupçonné d'avoir commis un délit et que son passeport était la seule pièce d'identité qu'ils avaient en main. On lui passa un autre poste, où il réitéra sa requête. On lui dit d'attendre, puis il finit par parler à un homme qui ne déclina pas son identité, ni ne signala son bureau, alors qu'il pria Brunetti de lui fournir son nom. Lorsque Brunetti proposa de donner son numéro de téléphone, on lui répondit que ce n'était pas nécessaire et qu'on le rappellerait. Vingt minutes plus tard, il reçut un coup de fil sur son portable de la part du secrétaire d'un sous-secrétaire du ministère italien des Affaires étrangères, qui lui demanda s'il était l'homme qui avait appelé les Américains. Il en donna confirmation ; l'homme le remercia et raccrocha. Peu après, une femme l'appela et lui demanda qui il était. Elle parlait un excellent italien, avec juste un soupçon d'accent. Il se présenta et elle lui dit alors que le gouvernement des États-Unis n'avait jamais émis de passeport à ce nom et voulut savoir s'il avait d'autres questions. Il répondit que non ; ils échangèrent quelques monosyllabes de courtoisie et il raccrocha.

Ils disposaient au moins de sa photo. Nickerson – ou quel que soit son vrai nom – pouvait avoir pris entre-temps un aspect différent et même quitté la ville, voire le pays. Mais pourquoi aurait-il soudainement précipité son départ ?

Piero Sartor avait dit que cet homme parlait un excellent italien : sans doute n'irait-il pas gaspiller ce talent en se rendant dans un autre pays. Par ailleurs, l'Italie était riche en musées et en bibliothèques, fussent-elles publiques, privées ou ecclésiastiques, et toutes constituaient un domaine illimité où il pouvait travailler. Brunetti était parfaitement conscient d'avoir utilisé un terme grotesque pour désigner l'activité de cet homme.

Il prit la photocopie du passeport de Nickerson et descendit au bureau de la signorina Elettra. Il était un peu plus de 10 heures, bien trop tôt pour que Patta soit déjà là. Elle était assise derrière son ordinateur et portait ce jour-là un pull en angora rose, dont la vue lui fit immédiatement remettre en question l'opinion qu'il s'était faite aussi bien de cette couleur que de ce genre de laine.

« Le vice-questeur a exprimé sa préoccupation vis-à-vis du vol à la bibliothèque, commissaire. » Il se demanda si le vice-questeur avait aussi exprimé sa préoccupation en convoquant les Euménides de la presse qui s'agitaient déjà au-dessus de leurs têtes.

« J'ai vérifié auprès des Américains, c'est un faux passeport », lui annonça-t-il en posant la photocopie sur son bureau.

Elle étudia la photo. « C'était couru d'avance. Dois-je l'envoyer à Interpol et aux gens chargés des vols d'œuvres d'art à Rome, pour voir s'ils le reconnaissent ?

– Oui. » Il était descendu pour le lui demander expressément.

« Savez-vous si le vice-questeur a parlé de cette affaire à quelqu'un d'autre ?

– La seule personne à qui il cause est le lieutenant Scarpa, déclara-t-elle en prononçant le mot "personne" comme si elle doutait qu'il soit bien approprié. Je pense qu'aucun des deux ne considérerait le vol de livres comme un grave délit.

– Je m'inquiétais pour la presse », précisa-t-il en tournant son attention vers les tulipes posées sur son bureau et en se disant que ce serait gentil d'en apporter un bouquet à la maison, ce soir-là. Il se pencha pour en pousser une légèrement sur la gauche et affirma : « Je doute que la comtesse apprécierait ce genre de publicité.

– Quelle comtesse ? s'enquit avec douceur la signorina Elettra.

– Morosini-Albani. »

Elle fit un bruit. Ce n'était ni un hoquet, ni un mot ; c'était juste un bruit. Il la regarda alors ; elle était en train de fixer son écran, le menton en avant, couvert par sa main gauche. Elle avait un visage impassible, ne détachait pas les yeux de l'ordinateur, mais la couleur de ses joues se rapprocha davantage de celle de son pull.

« Je l'ai vue quelques fois chez mes beaux-parents, dit-il d'un air détaché, en remettant en place une autre tulipe devant la large feuille qui la cachait. C'est une femme très intéressante, je dirais. Avez-vous eu l'occasion de la connaître ? »

Elle actionna quelques touches de sa main droite, le menton toujours appuyé sur sa main gauche, et finit par dire : « Une fois. Il y a des années. » Elle détourna son attention de l'appareil et regarda Brunetti avec une expression dénuée de toute émotion. « J'ai rencontré son beau-fils, un jour. »

Brunetti, après avoir gardé le silence malgré sa curiosité, finit par expliquer : « C'est la principale mécène de la bibliothèque. Parmi les livres abîmés, je ne sais pas combien étaient à elle, ou s'ils faisaient partie de la collection d'origine, mais elle a légué au moins un des livres qui ont été volés et un de ceux qui ont été saccagés. Ce n'est pas le genre de nouvelles qui peut faire plaisir à un donateur de son envergure.

– Ah », fit-elle d'un ton censé marquer bien peu d'intérêt en la matière.

Il sortit son carnet et l'ouvrit à la page où il avait noté les noms que la dottoressa Fabbiani lui avait donnés. « Il y a une édition de Ramusio et un Montalboddo », poursuivit-il, pas peu fier de l'aisance avec laquelle il les nommait.

Elle murmura quelques mots d'appréciation, comme s'ils lui étaient familiers.

« Connaissez-vous ces livres ?

– J'ai déjà entendu leurs titres. Mon père s'est toujours intéressé aux livres rares. Il en possède quelques-uns.

– Est-ce qu'il les achète ? »

Elle se tourna vers lui et rit de bon cœur, ce qui balaya toutes les tensions accumulées dans la pièce. « On dirait que vous croyez qu'il aurait pu les voler. Je peux vous assurer qu'il n'a pas été dans les parages de la Merula depuis des mois. »

Brunetti sourit, soulagé de voir qu'elle avait retrouvé sa bonne humeur après son étrange réaction à l'évocation de la comtesse. « Vous y connaissez-vous en livres rares ?

– Non, pas vraiment. Il m'en a montré quelques-uns et m'a expliqué ce qui en fait la spécificité, mais je l'ai déçu.

– Pourquoi ?

– Oh, je les trouve beaux bien sûr – avec leur papier, leur reliure –, mais ça ne me touche pas outre mesure. » Elle semblait sincèrement mécontente d'elle-même. « C'est du collectionnisme ; je ne le comprends pas, ou plutôt, le concept m'échappe. Ce n'est pas que je n'aime pas les belles choses. C'est que je n'ai pas la discipline voulue pour collectionner de manière systématique et je pense que c'est ce que font les vrais collectionneurs : ils veulent un exemplaire de chaque dans la catégorie de leur préférence, qu'il s'agisse de timbres allemands avec des fleurs, de capsules de Coca-Cola, ou… tout objet qu'ils ont décidé de collectionner.

– Et si cela ne vous enthousiasme guère…, commença-t-il.

– Vous ne parviendrez jamais à ressentir cette forme d'excitation. Ni même vraiment à l'appréhender. »

Comme elle s'était adoucie, il l'éperonna : « Et la comtesse ? »

La signorina Elettra eut un regard soudain sévère. « Mais encore ? »

Il se creusa la cervelle, à la recherche d'une raison justifiant le retour de la comtesse sur le tapis. « J'aimerais que vous jetiez un coup d'œil au legs qu'elle a fait à la bibliothèque, il y a environ dix ans. Tout ce que vous pourrez trouver sur les termes et les conditions de cette donation pourront m'être utiles » précisa-t-il, en ayant à l'esprit la réflexion de Patta sur l'éventualité que la comtesse exige de récupérer ses livres.

Elle nota cette requête, la tête penchée sur son bloc-notes. « J'aimerais aussi que vous vous renseigniez sur Aldo Franchini, qui vit à la fin de la via Garibaldi et qui a enseigné dans une école privée de Vicence jusqu'à ces trois dernières années. Il a un frère cadet qui allait à l'école avec la directrice de la biblio-thèque, qui doit avoir près de soixante ans. Donc il ne doit pas être tout jeune.

– Autre chose ?

– Vous devriez vérifier son implication dans l'Église. »

Elle leva les yeux sur lui et sourit. « Nous vivons en Italie, commissaire.

– Et donc ?

– Et donc, que cela nous plaise ou non, nous sommes tous impliqués dans l'Église.

– Effectivement, fut la première chose qu'il songea à dire. Mais à plus forte raison dans ce cas : il était prêtre.

– Ah.

– Effectivement », répéta-t-il.

Tandis qu'il s'en allait, elle lui demanda : « Que voulez-vous savoir, en fait, sur cet Aldo Franchini ?

– Je ne sais pas, au juste, avoua Brunetti. Il paraît qu'il était dans la salle où ont eu lieu au moins certains de ces vols. » Elle leva un sourcil à ces mots. « Il a passé ces trois dernières années à lire les Pères de l'Église.

– Combien de temps il y passait ? À lire.

– Je ne l'ai pas demandé. Mais ça doit être considé-rable. La bibliothécaire a dit qu'il était devenu comme un meuble, quasiment un membre du personnel.

« – Et il ne leur a pas dit ce qui se passait ?

– Il est possible qu'il n'ait rien remarqué.

– Tellement il était captivé par les divagations des Pères de l'Église ?

– Ou peut-être que sa chaise était tournée dans l'autre sens. »

Elle laissa s'écouler quelques secondes et elle lança : « Pourrait-il être impliqué dans ce qui se passait et y avoir une part d'intérêt ? »

Brunetti haussa les épaules. « Être impliqué reviendrait, dans son cas, à être assis, en train de lire les Pères de l'Église trois années durant, ou faire semblant de les lire : je ne sais pas ce qui est pire. Pouvez-vous imaginer le degré d'avidité qu'il faut avoir pour faire cela ? En outre, s'il lisait les pères de l'Église sérieusement, il ne pourrait pas être impliqué dans une affaire comme celle-ci. »

Elle détourna son regard de Brunetti et observa son écran vide pendant si longtemps qu'il pensa qu'elle n'avait plus rien à ajouter, mais elle finit par demander : « Vous le croyez vraiment ?

– Oui.

– C'est remarquable, fit-elle, et elle ajouta, sans chercher à dissimuler son propre étonnement : Moi aussi. »

6

Brunetti s'arrêta dans l'escalier pour réfléchir à cet étrange avis que la signorina Elettra et lui partageaient, à savoir que tout lecteur des Pères de l'Église est censé être honnête. Franchini pouvait lire ces auteurs pour maintes raisons : par intérêt pour la rhétorique, pour l'histoire, pour les subtilités des disputes théologiques. Cependant, la signorina Elettra, tout comme lui, avait automatiquement supposé qu'il ne pouvait pas être impliqué dans les vols, ni même en avoir eu conscience, comme si la mante des Pères l'avait enveloppé de leur sainteté présumée.

Brunetti ne se souvenait pas de ce que le Tertullien historique avait écrit sur les vols, mais il n'aurait pas pu être considéré comme un Père de l'Église s'il ne les avait pas au moins condamnés, conformément à quel commandement déjà ? Le quatrième ? La convoitise venait après, dans la liste, il le savait – ce péché que Brunetti avait toujours vu comme l'antichambre du « crime par la pensée » d'Orwell. En fait, il trouvait tout à fait normal que l'on convoite la femme ou les biens d'autrui. Pour quelle autre raison les stars du cinéma étaient-elles célèbres ? Ou pour quelle autre raison avait-on fait construire la Reggia di

Caserta[1], ou s'achetait-on une Maserati ou une Rolls-Royce, si l'on n'avait pas la convoitise et l'envie dans la peau ?

De retour dans son bureau et oublieux du décalage horaire, il décida d'appeler le bureau du département d'histoire de l'université du Kansas. Il composa le numéro et à la cinquième sonnerie, il entendit l'annonce du répondeur disant que les bureaux étaient ouverts de 9 heures à 16 heures, du lundi au vendredi et qu'il fallait appuyer sur la touche 1 pour laisser un message. Il passa à l'anglais et expliqua qu'il était commissaire de la police italienne et qu'il voulait que quelqu'un le rappelle ou lui envoie un e-mail. Il donna son nom, son numéro de téléphone et son adresse électronique, remercia la machine et raccrocha. Il regarda de nouveau sa montre et conclut, en comptant sur le bout des doigts, qu'on était encore en pleine nuit au Kansas. Comme il n'était jamais complètement tranquille lorsqu'il se sentait à la fois entre les mains de la technologie et des bureaucrates, il alluma son ordinateur et trouva l'adresse e-mail du département d'histoire. Il énonça sa requête de manière plus circonstanciée, donna le nom de Nickerson accompagné de son champ de recherche, ainsi que le nom de la personne qui avait signé la lettre, et les pria de bien vouloir lui répondre dans les plus brefs délais, car il s'agissait d'une affaire criminelle.

Il parcourut rapidement ses e-mails mais n'y trouva rien d'intéressant à ses yeux, même s'ils lui demandaient tous instamment de répondre. Il se procura le fichier des individus que la questure avait arrêtés les

1. Palais royal de Caserte, la résidence de la famille royale des Bourbons de Naples, symbolisant la magnificence.

dix dernières années, tapa le nom « Piero Sartor », puis essaya avec « Pietro », juste par prudence. Il trouva une occurrence pour chaque orthographe, mais leurs âges, le premier de plus de soixante ans, et le second de quinze ans à peine, les exclut a priori. Par acquit de conscience, il entra le nom de Patrizia Fabbiani, mais elle ne figurait pas dans leurs dossiers.

Pendant ces opérations, il se dit qu'il pouvait seconder la signorina Elettra dans ses recherches et tapa le nom « Aldo Franchini ». « Bien, bien, bien », marmonna-t-il lorsque l'écran afficha un homme de soixante et un ans, vivant à Castello 333. Brunetti ne savait pas où cela se trouvait exactement, mais il savait que c'était quelque part après la fin de la via Garibaldi.

Six mois plus tôt, Franchini avait subi un interro-gatoire, sans avoir été arrêté pour autant, suite à un accident qui avait eu lieu dans le viale Garibaldi[1], qui l'avait envoyé à l'hôpital avec un nez cassé. Un homme assis sur un banc, le long de cette allée, dit à la police qu'il avait vu Franchini assis sur un autre banc, un livre à la main, en train de parler à une femme qui se tenait debout devant lui. Un moment plus tard, il avait entendu la voix de quelqu'un en colère ; il avait levé les yeux et vu un homme à la place de la femme en question. Sans crier gare, l'homme avait jeté Franchini à ses pieds, l'avait battu puis s'en été allé.

L'agresseur, rapidement identifié et arrêté, avait déjà été fiché pour des larcins et pour accusation de recel. Il avait aussi l'obligation, sur ordre de la cour de justice, de rester au moins à une centaine de mètres de son ancienne compagne, qu'il avait menacée de

1. Allée ombragée qui traverse le parc s'étendant à proximité de la via Garibaldi.

83

mort. Il se trouve que c'était la femme qui avait discuté avec la victime.

Cependant, Franchini refusa de porter plainte contre lui, sous prétexte qu'il s'était levé au moment où ce dernier l'avait agressé verbalement, et qu'il avait trébuché et s'était cassé le nez en tombant.

Brunetti entra dans son ordinateur le nom de l'agresseur, Roberto Durà, et découvrit ainsi toute une série d'arrêts pour délits mineurs qui ne lui avaient jamais valu d'incarcération, généralement par manque de témoins, ou pour insuffisance de preuves, ou encore parce que le juge d'instruction avait estimé que l'affaire ne valait pas la peine d'être poursuivie. Jusqu'à cette sentence émise trois mois plus tôt pour vol à main armée et agression et qui l'avait envoyé en prison à Trévise pour quatre ans.

Brunetti regarda par la fenêtre et vit le ciel bleu, avec les nuages poussant vers l'est ; c'était la journée idéale pour aller voir ce qui se passait à Castello. Avant de sortir, il passa par la salle des policiers où il vit l'inspecteur Vianello à son bureau, en train de parler au téléphone ; penché en avant, il gardait une main devant son portable pour amortir le son de sa voix. Brunetti s'arrêta à quelques mètres de lui et observa son visage : Vianello avait les yeux fermés, l'air tendu, comme s'il était en train d'exhorter un cheval de course à gagner, gagner, et encore gagner.

N'ayant nullement l'intention de distraire Vianello de son coup de fil, Brunetti se rendit auprès du bureau qu'Alvise partageait avec Riverre. Il était en train d'écrire dans un petit carnet, mais en s'approchant, Brunetti s'aperçut que c'étaient des mots croisés : les grilles de Sudoku étaient sans doute en train de le mettre à trop forte épreuve. Alvise était tellement concentré sur ses mots qu'il n'entendit même pas son supérieur. Il bondit littéralement sur ses pieds lorsque Brunetti l'appela.

« Oui, monsieur, dit-il, en portant à son front la main avec son crayon, au risque de se crever un œil.

– Lorsque Vianello aura terminé, tu veux bien lui demander de me rejoindre au bar ?

– Bien sûr, commissaire, affirma Alvise en prenant son crayon pour écrire une note dans la marge de ses mots croisés.

– Merci », dit Brunetti, incapable pour une fois d'engager la moindre conversation avec Alvise. Il quitta la questure et descendit le quai pour se rendre au bar. Mamadou, le Sénégalais qui gérait désormais le local à la place du propriétaire, sourit à l'entrée de Brunetti et lui versa un verre de vin blanc. Brunetti le prit, ainsi qu'un exemplaire du *Gazzettino* du jour et s'installa au fin fond du bar, près de la fenêtre, de manière à voir arriver Vianello. Il ouvrit le quotidien au milieu. Il regarda nonchalamment sa montre et sentit soudain la faim lui tenailler l'estomac. Il sortit son portable, prêt à envoyer à Paola un SMS pour s'excuser d'avoir oublié leur déjeuner, mais sa lâcheté lui déplut et il l'appela.

Elle grommela, mais comme elle ne mentionna pas les plats qu'il avait manqués, il conclut qu'elle protestait juste pour la forme. Il lui promit de rentrer à temps pour le dîner, lui dit qu'il l'aimait par-dessus tout, et raccrocha. Il appela Mamadou et lui demanda de choisir trois *tramezzini*[1] pour lui et trois pour Vianello, puis il retourna à son journal.

1. Petits sandwiches en forme de triangle, obtenus en coupant une tranche de pain de mie en deux.

Il y trouva le chaos politique habituel, mais Brunetti avait fait serment de ne plus rien lire sur le gouvernement jusqu'à la fin de l'année, ou jusqu'à l'arrivée du Roi philosophe. Cinquante acres de terre agricole remplis de déchets toxiques en Campanie, illustrés par les photos des moutons empoisonnés qui y broutèrent pour la dernière fois. Une descente de la Guardia di Finanza dans les bureaux du parti qui avait gouverné la Lombardie les dix dernières années. Après tout, c'est cela la politique, non ? La plus haute décoration civique de la ville, attribuée à l'homme qui voulait construire, sur le continent, une tour remportant le record de laideur et qui aurait été visible de partout à Venise. Brunetti soupira et retourna à la première page, où trônait la photo de l'ancien directeur du projet MOSE[1] – déjà 7 milliards d'euros de dépensés pour bloquer les eaux de la lagune – arrêté pour accusation de corruption. Brunetti sourit, leva son verre pour porter cyniquement un toast et but une longue gorgée.

« Alvise m'a dit que je devais te rejoindre », dit Vianello en posant l'assiette de *tramezzini* et son verre de vin blanc. Avant que Brunetti ne pût proférer un mot, l'inspecteur retourna au comptoir et revint avec deux verres d'eau minérale. Il les mit sur la table et glissa sur le banc en face de Brunetti.

Brunetti hocha la tête en signe de remerciement et prit un sandwich. « Est-ce que tu as trouvé des empreintes digitales sur les fameux livres ? » lui demanda-t-il, car il n'avait pas encore eu le temps de lui parler.

---

1. Acronyme dérivant de *Modulo sperimentale elettromeccanico* (Module expérimental électromécanique) ; jeu de mots avec Mosè, désignant Moïse en italien.

Vianello sirota son vin, puis déclara : « Je n'ai jamais vu les deux gars du labo aussi près de pleurer, l'un comme l'autre.

– Pourquoi ? s'enquit Brunetti, en mordant dans son *tramezzino* à l'œuf et au thon.

– Est-ce que tu as déjà réfléchi au nombre de personnes qui touchent un livre dans une bibliothèque ?

– Oh mon Dieu, répliqua Brunetti, bien sûr : il y en a des tas. Est-ce qu'ils prennent les empreintes des gens qui y travaillent ?

– Oui, confirma Vianello. Ils n'ont pas arrêté de dire qu'il devait y avoir des centaines d'empreintes par livre, mais ils se sont montrés coopératifs quand nous avons dit que nous en avions besoin.

– Même la directrice ?

– C'est elle qui leur a dit d'y procéder sans faire d'histoires. Elle a même proposé de donner les siennes. »

Cette déclaration surprit Brunetti, car il avait rarement vu des personnes en position d'autorité se plier de bon gré aux requêtes de la police. « Tant mieux », affirmat-il en prenant un autre sandwich. Au jambon et artichauts cette fois, et Brunetti soupçonna Mamadou d'avoir enlevé un peu de mayonnaise avant de déposer leurs *tramezzini* sur l'assiette. « Je vais aller interroger quelqu'un à Castello et je me suis dit que ça te ferait peut-être plaisir de venir avec moi.

– Bien sûr, approuva Vianello, en se saisissant aussi de son deuxième sandwich. Tu veux que je fasse le bon ou le mauvais flic ? »

Brunetti lui sourit et expliqua : « Pas besoin, aujourd'hui. Nous pouvons jouer tous les deux les bons flics. Je veux juste lui parler.

– À qui ? »

Brunetti le mit au courant du vol et de l'acte de vandalisme perpétré à la bibliothèque et lui signala le lien avec les Morosini-Albani, puis il lui décrivit la réaction éloquente de la signorina Elettra après qu'elle eut entendu le nom de cette famille.

« Elle connaissait son beau-fils ? s'étonna Vianello. Quel est son prénom, déjà ? Giovanni ? Gianni ? » Il prit un autre sandwich et une nouvelle gorgée de vin.

Cela ne fit que raviver la curiosité de Brunetti. Gianni Morosini-Albani était le maillon parfait pour assurer l'extinction de la noblesse : malhonnête, et connu pour sa consommation de stupéfiants. Lui et la signorina Elettra ? Quelle idée !

Il s'abstint de prendre la défense de sa collègue et se limita à observer : « Elle ne semblait pas très ravie d'entendre son nom.

– Il a la réputation d'être fort séduisant, répliqua Vianello sans grande conviction.

– En effet, beaucoup de gens semblent l'apprécier. »

Vianello ignora la remarque. « J'ai dû y aller, quand il a été arrêté il y a quelques années. En fait, on m'a refilé l'interrogatoire. Cela doit faire quinze ans. Il était tout ce qu'il y a de plus affable, nous a invités à entrer, nous a offert à tous un café. Nous étions trois en tout, en comptant le commissaire. » Mais Vianello ne sourit pas à ce souvenir.

« Qui était-ce à l'époque ?

– Battistella. » Brunetti se le rappelait bien : un idiot qui avait pris la tangente et la retraite plutôt jeune, et que l'on pouvait encore voir, de temps à autre, traîner dans les bars, en train de parler de son illustre carrière de défenseur de la justice. Au fil des ans, Brunetti avait remarqué que plus personne ne lui offrait à boire, mais que lui était prêt à inviter toute personne lui ten-

88

dant une oreille attentive, ce qui lui garantissait un public permanent.

« Battistella était excité comme une puce, naturellement. Il avait affaire au fils de l'une des plus riches familles de la ville, à leur héritier, la coqueluche de ces dames, qui nous proposait de prendre un café, raconta Vianello, d'un ton de plus en plus dur. Battistella s'était entiché de lui, je crois. S'il avait voulu s'échapper, Battistella l'aurait aidé ; il lui aurait probablement passé son revolver et lui aurait tenu la porte.

– Pourquoi est-ce qu'on l'a arrêté ?

– Une gamine, de quinze, seize ans à peine, qui avait fini à l'hôpital pour overdose la nuit précédente. Elle était allée à une fête au palais, mais on l'a retrouvée – on n'a jamais su comment – à l'hôpital, à l'entrée sur le côté. » Vianello marqua une pause et, d'un ton encore plus grave, rectifia : « Elle a dit qu'elle était au palais, mais aucune des personnes qu'elle a mentionnées ne se souvenait de l'avoir vue.

– Qu'est-ce qui lui est arrivé ? »

Vianello haussa les épaules d'une manière qui en disait long. « Elle était mineure, donc on a classé l'affaire. Elle a passé la nuit à l'hôpital et le lendemain matin, on l'a autorisée à rentrer chez elle. Et lorsqu'elle a raconté finalement à ses parents ce qui s'était passé, ils nous ont appelés.

– Et c'est là que tu l'as vu ? » Brunetti s'apprêtait à prendre un autre sandwich, lorsqu'il vit que Vianello avait mangé le dernier. Il termina son vin.

« Le magistrat l'a appelé et lui a dit qu'il voulait lui parler de ce qui s'était passé à la soirée, mais Gianni a dit qu'il était trop occupé et ne voyait absolument pas de quelle fête il s'agissait. Après ce coup de fil, le magistrat nous a envoyés le chercher pour discuter avec lui.

– Pour voir si la fête lui revenait en mémoire ? Ou la fille ?

– Exactement.

– Est-ce que c'était Rotili ? » Un magistrat particulièrement virulent, dont le succès professionnel lui valut d'être muté dans une petite ville à la frontière entre le Piémont et la France, où il se consacrait dorénavant à des vols de skis et de bétail.

« Oui, et c'est probablement ce qui a causé sa mutation. Le père de Gianni était encore vivant à l'époque et il refusait de croire que son fils soit capable du moindre méfait. »

Brunetti n'avait jamais rencontré feu le comte, mais il connaissait sa renommée et savait qu'il avait le bras long. « C'est ainsi que Rotili a atterri dans le Piémont ?

– Oui, confirma Vianello, sans ajouter le moindre commentaire.

– Et comment a fini cette histoire avec la fille ?

– Elle a donné le nom de quatre personnes qui étaient là, d'après ses dires. Ces gens avaient tous au moins quinze ans de plus qu'elle. Y compris Gianni.

– Et aucun d'entre eux n'était allé à cette fête et n'avait jamais vu cette fille de leur vie ?

– C'est cela. Et parmi eux, il y avait deux femmes, précisa Vianello, sans pouvoir cacher son dégoût.

– Comment Battistella s'est-il comporté ?

– Je ne faisais que des rondes, à l'époque, et j'étais censé garder la bouche cousue, mais c'était franchement horrible.

– C'est-à-dire ?

– C'est-à-dire que j'ai vu cet homme d'une cinquantaine d'années s'aplatir devant quelqu'un qui ne devait pas avoir beaucoup plus de trente ans, et qui avait déjà été arrêté dans au moins deux autres pays. Il était connu comme toxico et c'était probablement un dealer qui vendait de la drogue à des amis plutôt aisés. » Vianello se pencha en avant, en s'appuyant de tout son poids sur ses avant-bras.

« Il a dit à Battistella que la fille devait être folle pour être allée inventer une histoire pareille. Comme Battistella était d'accord avec lui, Morosini a conclu que tout cela était sûrement la faute de la drogue et qu'il pensait que c'était terrible de voir comme les gens élevaient mal leurs enfants. »

Il se redressa brusquement, comme s'il essayait d'échapper à ces mots, ou au souvenir de cette scène. « J'avais déjà un peu d'expérience à l'époque, donc je n'ai rien dit ; j'ai juste fait de mon mieux pour rester là et avoir l'air stupide.

– Ça lui plaisait, ça, à Battistella, se permit d'observer Brunetti. Qu'est-ce qui s'est passé ensuite ?

– Je me souviens qu'il faisait beau, donc ils sont allés tous les deux à pied à la questure, en papotant comme de vieux copains. » Il fit une pause, puis ajouta : « Je m'étonne qu'ils ne se tenaient pas par la main.

– Et toi, dans tout ça ?

– Oh, je restais derrière eux et je leur ai clairement signifié que ce qu'ils disaient ne m'intéressait pas. Je marchais à côté de l'autre type – je ne me rappelle même plus qui c'était – et on échangeait un mot de temps en temps. Mais j'ai entendu une bonne partie de leur conversation. C'était difficile de ne pas entendre.

– À quel sujet ?

– Au sujet de filles jeunes.

– Ah, fit Brunetti. Ce n'est pas si loin que ça, de leur palais à la questure, donc au moins tu n'en as pas trop entendu.

– Comme ma grand-mère nous le disait souvent, la miséricorde de Dieu est omniprésente. »

Vianello se leva et ils se mirent en route pour Castello.

7

Ils y allèrent à pied, afin de pouvoir jouir pleinement de la lumière déclinante. Il avait fait suffisamment chaud pour exhorter les boutons de glycine à s'emplir de sève en prévision du printemps, à l'image de ces athlètes qui frottent le sol de leur pied avant de s'élancer pour une course ou un saut : Brunetti remarqua qu'ils envahissaient, cette année encore, le mur en brique du jardin situé sur l'autre rive du canal qu'ils étaient en train de longer. Il savait qu'en l'espace de sept jours, leurs grappes se pencheraient au-dessus de l'eau et qu'une semaine plus tard, leurs mauves efflorescences s'ouvriraient brusquement en une nuit, inondant de leur fragrance le moindre passant et incitant toute personne ayant respiré ces effluves à se demander pourquoi donc, au nom du ciel, aller travailler en une si belle journée et fixer l'écran d'un ordinateur, alors que dehors, la vie recommençait à exploser de toutes parts.

Pour Brunetti, le printemps était une suite de souvenirs parfumés : le lilas dans une cour du côté de Madonna dell'Orto ; les bouquets de muguet, apportés par le vieil homme de Mazzorbo, qui les vendait chaque année sur les marches de l'église des Jésuites et qui le faisait depuis si longtemps que personne n'osait demander s'il avait le droit d'installer cet étal de fortune ; sans oublier la légère odeur de transpiration des corps après leur toilette, s'entassant dans les vaporetti désormais bondés, qui changeait agréablement de l'odeur rance que les vestes et les manteaux portés trop de fois, et les pulls restés sales trop longtemps, leur avaient fait subir tout l'hiver.

Si la vie avait une odeur, c'était bien celle du printemps. Brunetti avait parfois envie de happer l'air pour essayer de le goûter, même s'il savait parfaitement que c'était peine perdue. C'était trop tôt dans la saison pour commander un spritz[1], et son envie de punch au rhum s'en était allée avec le dernier jour de froid.

Comme quand il était petit, Brunetti se sentit submergé par un élan de bienveillance universelle, envers tout et tout le monde ; ses émotions retrouvaient libre cours après leur période d'hibernation. Ses yeux acquiesçaient à tout ce qu'ils voyaient et la perspective de cette promenade le grisait. Tel un chien de berger, il guidait Vianello selon son inspiration ; il le fit passer par Sant'Antonin et déboucher sur la *riva*[2]. Saint-Georges s'étendait devant eux ; on devinait l'île en filigrane, à travers les grands mâts des bateaux amarrés le long du mur latéral qui se dressait face à eux.

« Ce sont des journées comme celle-ci qui me donnent envie d'arrêter, asséna Vianello, à la grande surprise de Brunetti.

– D'arrêter quoi ?

---

1. Apéritif local typique, à base de prosecco, d'eau de seltz et de campari ou d'aperol.
2. Riva degli Schiavoni, l'ample quai qui longe la lagune de la place Saint-Marc à Castello.

– De travailler. D'être un policier. »

Brunetti fit appel à toute sa volonté pour garder son calme. « Et pour faire quoi ? » demanda-t-il.

Tous deux savaient que c'était plus court de passer par-derrière, de franchir le pont devant l'Arsenal et de continuer par la Tana, mais ils longèrent la lagune, incapables de résister à la tentation de contempler cette vaste étendue d'eau qui s'ouvrait devant eux.

Vianello resta un certain temps à regarder l'église et les vagues qui baignaient le *bacino*, puis ils tournèrent à gauche et prirent la via Garibaldi. « Je ne sais pas. Il n'y a rien qui m'intéresse autant que mon travail. J'aime ce que nous faisons. Mais ces premiers jours de printemps me donnent envie de courir et d'aller rejoindre les gitans, ou de m'embarquer sur un cargo et de partir naviguer – oh, je ne sais pas, moi – vers Tahiti.

– Tu m'emmènes avec toi ? »

Vianello rit à ces mots et fit un petit bruit pour exprimer combien il doutait qu'ils aient le cran, l'un comme l'autre, de faire un jour une chose pareille. « Ce serait bien, quoi qu'il en soit, n'est-ce pas ? lança-t-il, sûr et certain de la lâcheté de Brunetti.

– J'ai fait une fugue, une fois », lui raconta le commissaire.

Vianello s'arrêta et se tourna vers lui. « Une fugue ? Pour aller où ?

– Je devais avoir douze ans, commença Brunetti, laissant venir à lui le flot des souvenirs. Mon père avait perdu son emploi et nous n'avions pas beaucoup d'argent, si bien que j'ai décidé de chercher du travail pour ramener quelques sous à la maison. » Il secoua la tête en repensant à sa jeunesse, ou à son envie, ou encore à cette douce folie.

« Qu'est-ce que tu as fait ?

– J'ai pris un vaporetto pour Sant'Erasmo et j'ai commencé à demander aux fermiers dans les champs – il y en avait beaucoup plus que maintenant à l'époque – s'ils avaient du boulot pour moi. » Il attendit, mais Vianello s'était remis à marcher et Brunetti accéléra le pas pour le rattraper. « Pas un vrai boulot, juste quelque chose pour la journée. Ça devait être un week-end parce que je ne me souviens pas d'avoir manqué l'école. Finalement, l'un d'entre eux m'a dit : "D'accord", et il m'a tendu la bêche avec laquelle il était en train de travailler et m'a dit de finir de retourner la terre dans ce champ-là. » Brunetti ralentit et Vianello aussi, pour épouser le rythme des réminiscences.

« J'allais trop vite et je creusais trop profond, donc il m'a arrêté et m'a montré comment faire : tu enfonces la bêche dans un angle, tu la pousses du pied, tu retournes la terre et tu écrases la motte avec les dents arrière, et tu recommences à creuser. » Vianello opina du chef.

– Qu'est-ce qui s'est passé ?

– Oh, il m'a laissé travailler le reste de l'après-midi. Avant même de finir, j'avais les deux mains pleines d'ampoules mais je n'ai pas lâché prise, parce que je voulais rentrer avec quelque chose pour ma mère.

– Tu y es arrivé ?

– Oui. Après avoir retourné pratiquement la moitié du champ, il m'a dit que ça suffisait et il m'a donné un peu d'argent.

– Tu te souviens combien ?

– Ça devait être dans les deux cents lires. J'ai complètement oublié. Mais ça me paraissait beaucoup à l'époque.

– Je peux bien l'imaginer.

– Il m'a ramené chez lui pour que je puisse me laver la figure et les mains et nettoyer mes chaussures. Sa femme m'a donné un sandwich et un verre de lait… je pense qu'il venait directement de leur vache. C'était fantastique. Je n'en ai plus jamais bu d'aussi bon depuis… et je suis allé à l'embarcadère et j'ai repris un vaporetto pour rentrer.

– Et ta mère ? »

Brunetti s'arrêta de nouveau. « Je suis monté à l'appartement. Elle était à la cuisine et quand elle m'a vu, elle m'a demandé si je m'étais bien amusé avec mes copains. Donc ça devait vraiment être le week-end.

– Et puis ?

– J'ai mis l'argent sur la table et je lui ai dit que c'était pour elle. Que je l'avais gagné en travaillant. Elle a vu l'état de mes mains et les a retournées. Elle a mis de la teinture d'iode dessus et les a bandées.

– Oui, mais qu'est-ce qu'elle t'a dit ?

– Elle m'a remercié et m'a dit qu'elle était fière de moi, mais après elle m'a dit qu'elle espérait que j'aie vu comme c'était dur de travailler quand on n'a que son corps à proposer. » Brunetti sourit, mais il n'y avait qu'une très légère touche d'humour dans ses propos. « Au début, je n'ai pas compris. Mais après, oui. J'avais travaillé toute la journée, ou plutôt, j'avais eu l'impression d'avoir travaillé toute la journée, même si en fait c'était juste quelques heures. Et tout ce que j'avais gagné lui suffisait à peine pour acheter des pâtes et du riz, et peut-être un morceau de fromage. Et j'ai compris ce qu'elle voulait dire : si tu n'as que ton corps pour travailler, tout ce que tu peux faire, c'est travailler juste pour manger. J'ai su alors que je ne voulais pas passer ma vie comme ça.

– Et c'est bien ce qui s'est passé, non ? » demanda Vianello avec un large sourire. Il tapota le bras de Brunetti et se remit en route pour la via Garibaldi. Lorsqu'ils tournèrent dans cette large rue, Brunetti eut la confirmation que c'était bien un des rares quartiers de la ville avec encore essentiellement des Vénitiens. Il suffisait de voir les gilets en laine beige et tous ces cheveux coupés court et soigneusement permanentés pour être sûrs que les vieilles dames étaient bien du cru. Les enfants avec leurs skateboards n'étaient pas là en vacances et seuls les hommes du coin pouvaient bavarder en cercles si serrés. De même, les magasins vendaient des choses qu'on utilisait sur place et qu'on n'avait pas besoin d'emballer pour les ramener chez soi et les exhiber comme des trophées, tel un cerf qu'on aurait chassé, tué et ligoté sur le toit de la voiture. Ici, les gens achetaient des choses dont ils avaient besoin dans leurs cuisines ; ils achetaient aussi du papier hygiénique, ou encore les tee-shirts en coton blanc uni qu'ils portaient à la place de maillots de corps.

Au bout de la rue, là où elle débouche sur le rio di Sant'Ana, ils restèrent sur le quai gauche. C'était Brunetti qui les pilotait. Il avait repéré le numéro dans son *Calli, Campielli e Canali*[1]. Il se trouvait sur le campo Ruga et il se fia à la mémoire des pas : prendre à gauche, à droite, se diriger vers le canal, puis passer le pont, la première à gauche, et on y est.

La maison se dressait sur le côté opposé du *campo* ; c'était un bâtiment étroit, qui aurait bien eu besoin d'une nouvelle couche d'enduit et aussi, visiblement, de nouvelles gouttières. Pendant des années, les cou-

---

1. Répertoire de toutes les rues, places et canaux de Venise.

lées d'eau s'étaient nourries de plâtre à trois endroits différents, et commençaient à attaquer la brique, en guise de dessert. Sous l'effet du soleil, la peinture des volets des appartements des premier et deuxième étages avait tourné à un vert passé, tirant légèrement sur le gris. Tout Vénitien savait décrypter le sens de ces cloques grisâtres, à l'instar des archéologues qui savent lire les strates de terre pour mesurer l'intervalle de temps qui les sépare de la dernière présence humaine. Il y avait d'ailleurs des dizaines et des dizaines d'années que ces appartements étaient vides.

Les volets de l'appartement du troisième étaient ouverts, même s'ils ne semblaient pas en meilleur état que ceux des étages d'en dessous. Il y avait trois sonnettes près de la porte, mais seule la première portait un nom : « Franchini ». Brunetti sonna, attendit, sonna de nouveau, en prêtant cette fois attention à tout bruit furtif pouvant provenir d'en haut. Rien.

Il jeta un coup d'œil circulaire sur le *campo*, qui dégageait curieusement une certaine hostilité. Il y avait deux arbres dénudés qui, apparemment, n'avaient pas été sensibles à l'arrivée du printemps, et deux bancs publics aussi défraîchis et criblés de taches que les volets de la maison. Malgré l'ampleur de cette place, aucun enfant n'y jouait, peut-être à cause du canal qui coulait sur l'un des côtés et qui était dépourvu de parapet.

Brunetti ne s'était pas donné la peine de noter le numéro de téléphone ; Vianello, qui avait un smartphone, trouva l'annuaire en ligne, puis le numéro en question. Il le composa. Cette fois, le petit, tout petit son d'un téléphone descendit jusqu'à leurs oreilles. Il sonna dix fois, puis s'arrêta. Ils reculèrent tous deux et levèrent les yeux vers les fenêtres, comme s'ils s'attendaient à ce qu'un homme les ouvre toutes grandes et chante sa première aria. Toujours rien.

« Le bar ? » suggéra Vianello, en désignant du menton le fin fond du *campo*. À l'intérieur, tout semblait aussi exténué que les volets, y compris le serveur, vieux et fatigué, et tout avait besoin d'un bon coup d'éponge. Ce dernier les regarda entrer et leur fit ce qu'il prenait sans doute pour un sourire de bienvenue.

« Oui, messieurs ? »

Brunetti commanda deux cafés, qui arrivèrent rapidement et étaient étonnamment bons. Un son aigu parvint de l'arrière du bar ; ils se tournèrent et virent un homme assis sur un haut tabouret, devant une machine à sous : c'était le bruit des pièces qui tombaient dans le bac, situé en face de lui. Il en saisit quelques-unes pour les introduire dans la machine, appuya ensuite sur les boutons aux couleurs vives. Il y eut une explosion de sifflements, de claquements et des lumières. Puis plus rien.

« Connaissez-vous Aldo Franchini ? » demanda Vianello au serveur, en parlant vénitien et en penchant sa tête en arrière, en direction du bâtiment.

Avant de répondre, le serveur regarda vers l'homme en train de jouer avec la machine à sous. « L'ancien curé ? finit-il par demander.

– Je ne sais pas, répondit Vianello. Tout ce que je sais, c'est qu'il a fait des études de théologie. »

Le serveur prit cette réponse en considération tout le temps qui lui parut nécessaire et confirma : « Oui, c'est bien cela, puis il ajouta : Bizarre, non ?

– Qu'il ait fait des études de théologie ? Ou qu'il se soit défroqué ? s'enquit Vianello.

– Tout cela n'a pas bien d'importance, n'est-ce pas ? » rétorqua le serveur, d'un ton qui ne trahissait pas le moindre iota de désapprobation. On aurait pu y déceler, à la limite, autant d'intérêt que pour quelqu'un ayant consacré sa vie à apprendre à réparer des machines à écrire, ou des téléscripteurs.

Vianello commanda un verre d'eau minérale.

« Savez-vous autre chose sur lui ? s'informa Brunetti.

– Vous êtes de la police ?

– Oui.

– Est-ce que c'est à propos de ce type qui lui a cassé le nez ? Il est sorti de prison ?

– Non, lui assura Brunetti. Il doit purger sa peine encore un certain temps.

– Bien. Ils devraient le garder longtemps.

– Vous le connaissez ?

– Nous allions à l'école ensemble. C'était un gosse méchant et violent, et maintenant, c'est un homme méchant et violent.

– Y a-t-il une raison à cela ? »

L'homme haussa les épaules. « C'est de naissance. » En penchant la tête, il indiqua l'homme qui continuait à donner la becquée à sa machine. « Comme lui. Il ne peut pas s'en empêcher, c'est maladif. » Puis, comme s'il était insatisfait d'avoir donné une réponse aussi simpliste, il demanda : « Pourquoi cherchez-vous Franchini ? » Comme ni l'un ni l'autre ne répondirent, il ajouta, en désignant de la tête le joueur : « Vous pensez qu'il… », mais la dernière partie de la question fut couverte par le bruit que fit l'avalanche de pièces. Brunetti n'avait pas bien compris ce qu'il avait dit et Vianello ne paraissait pas non plus l'avoir entendu.

« Nous aimerions lui parler. À propos de quelque chose qu'il a peut-être vu. Tout ce que nous voulons, c'est lui poser quelques questions.

– J'ai déjà entendu la police dire cela, répliqua l'homme d'une voix épuisée.

– Tout ce que nous voulons, c'est lui poser quelques questions, répéta Brunetti. Il n'a rien fait de mal ; c'est juste qu'il était à l'endroit où quelqu'un d'autre en a fait. »

Le serveur commença à dire quelque chose, mais s'arrêta sur sa lancée.

Brunetti sourit et l'exhorta : « Dites ce que vous vouliez dire.

– D'habitude, cela ne change pas grand-chose pour les gens de votre acabit », osa-t-il affirmer.

Vianello regarda Brunetti, lui laissant le soin de répondre.

« Cette fois, tout ce que nous voulons, ce sont des informations. » Brunetti vit l'homme réprimer sa curiosité.

« Je l'ai vu hier matin. Il était ici vers 9 heures, pour un café. Je ne l'ai pas revu depuis.

– Est-ce qu'il vient souvent ?

– Assez souvent. »

Brunetti se tourna au bruit soudain en provenance de l'arrière du bar. L'homme qui jouait à la machine à sous donnait de grands coups sur le devant de l'appareil.

« Arrête, Luca ! » cria le serveur, et le bruit cessa. Il se tourna vers Brunetti et Vianello et dit : « Vous voyez ? Je vous l'ai dit : c'est maladif. » Brunetti attendit pour voir s'il plaisantait, mais visiblement, non. « Ça ne devrait pas être permis. C'est trop facile de tout perdre au jeu. » Il semblait sincèrement indigné.

Brunetti attendit que Vianello pose la question évidente, mais comme l'inspecteur ne soufflait mot, le commissaire prit son portefeuille et en tira une carte de visite. Il écrivit son numéro de portable au dos de la carte et la tendit au barman. « S'il revient, voulez-vous bien la lui donner et lui demander de m'appeler, s'il vous plaît ? »

Brunetti sortit 2 euros de sa poche et les posa sur le comptoir. Au moment de partir, ils entendirent l'homme à la machine à sous débiter une kyrielle d'obscénités qui ne les atteignit plus, une fois la porte refermée.

8

Ils rentrèrent à pied d'un accord unanime, mais le retour à la questure fut bien moins plaisant, car pendant qu'ils étaient dans le bar, l'air avait nettement rafraîchi. Brunetti aurait pu dépêcher un policier en uniforme pour aller à la recherche de Franchini, mais il avait eu trop envie d'être dehors et de bouger, ce qui lui avait fait perdre deux heures. Était-ce bien le mot juste ? Il avait eu une agréable conversation avec Vianello, s'était remémoré un épisode de sa jeunesse et avait même eu confirmation, par une source neutre, de sa conviction que certains individus sont purement et simplement méchants de naissance. Tout compte fait, son temps avait été bien plus productif que s'il avait passé son après-midi au bureau, à lire des dossiers.

Il en fut d'autant plus persuadé qu'il finit précisément sa journée à transcrire des interrogatoires, à parcourir les règlements sur la manière dont les policiers de sexe masculin doivent traiter les suspects de sexe féminin et à découvrir le nouveau formulaire de trois pages à appliquer en cas d'accident du travail. Son ordinateur lui procura le seul élément positif de sa journée : un e-mail du département d'histoire de l'université du Kansas, lui affirmant qu'il n'y avait aucun inscrit du nom de Joseph Nickerson dans leur faculté, que l'université ne proposait aucun cours en histoire du commerce maritime en Méditerranée et que le président de la faculté, dont le nom semblait figurer dans la lettre évoquée par M. Brunetti, n'avait jamais signé ce type de document.

Brunetti s'y attendait et aurait été surpris que ce professeur Nickerson ait véritablement existé. Il composa le numéro de la signorina Elettra pour voir où elle en était de ses investigations, mais l'appel resta sans réponse. Même s'il n'était que 18 h 30, il profita de son absence pour rentrer à la maison.

Au moment où il fermait la porte de chez lui, il entendit Paola l'appeler, affolée, du fond de l'appartement. Lorsqu'il entra dans leur chambre, les derniers rayons de lumière disparaissaient au couchant et il vit se détacher en contre-jour la silhouette de sa femme, penchée sur un côté, comme si elle était en proie à une forte douleur, ou à un accès de folie. Son bras était enroulé autour de sa gorge, le coude pointant dans sa direction. On ne pouvait distinguer que la moitié de l'autre. Il la crut victime d'un accident soudain : une fracture de vertèbres, ou une crise cardiaque. Il s'approcha d'elle, le cœur battant la chamade, et lorsqu'elle se retourna, il s'aperçut qu'elle tenait la fermeture Éclair de sa robe des deux mains.

« Aide-moi, Guido. C'est coincé. »

Il lui fallut quelques secondes pour parvenir à se comporter en bon époux. Il allongea le bras pour ôter ses mains de la glissière et en penchant la tête, il vit un petit bout de tissu gris bloqué sur un côté. Il pinça le tissu par-dessus et essaya d'actionner le zip, d'abord vers le haut, puis vers le bas. Après quelques petits coups secs, il libéra le tissu et remonta la fermeture Éclair jusqu'au cou. « Ça y est, dit-il ; il l'embrassa dans les cheveux et passa sous silence la peur bleue qu'elle lui avait faite.

– Merci. Qu'est-ce que tu mets, ce soir ? »

Quelques années auparavant, il avait proposé un soir à Paola de porter le même costume que celui qu'il avait mis pour aller travailler ce jour-là. En guise de réponse, elle l'avait regardé comme s'il avait suggéré de commencer le dîner en faisant une proposition indécente à sa mère. Depuis lors, pour éviter qu'elle ne le perçoive comme un jeune sans éducation et ignorant des fausses subtilités de ce monde, il désignait toujours le costume qu'il imaginait le plus approprié aux yeux de sa femme : « Le gris foncé.

– Celui que Giulio t'a fait ? »

Dans son ton perçaient toutes ses réserves à l'égard de ce vieil ami, avec lequel il était allé à l'école durant les six ans où l'État assura à son père le gîte et le couvert. Giulio vivait alors chez une tante à Venise. Le fait qu'il fût napolitain n'avait altéré en rien la sympathie immédiate que Brunetti avait ressentie pour ce garçon : ingénieux, industrieux, assoiffé de connaissances et de plaisirs et, comme lui, le fils d'un homme que beaucoup de gens voyaient d'un mauvais œil.

Tout comme lui aussi, Giulio avait fait des études de droit criminel, même s'il avait choisi de se servir de sa formation pour défendre au mieux les délinquants, et non pas pour les arrêter. Étonnamment, cela n'entacha absolument pas leur amitié. Les fréquentations et les amis de Giulio – pour ne pas parler de l'entregent de son énorme famille – avaient enveloppé Brunetti d'un halo de protection à l'époque où il travaillait à Naples, ce qu'il apprécia autant qu'il s'efforça de l'ignorer.

Quelques mois plus tôt, Brunetti était retourné à Naples pour interroger un témoin et avait retrouvé

Giulio à dîner lors de sa première soirée en ville. Il y avait cinq ans qu'ils ne s'étaient pas vus : les cheveux de Giulio avaient complètement blanchi, de même que sa moustache sous son long nez de pirate. Mais comme son teint olivâtre avait résisté aux outrages du temps, le contraste avec sa chevelure chenue ne faisait que lui donner un regain de jeunesse.

Spontanément, Brunetti avait complimenté son ami sur son costume, d'un gris anthracite très finement rayé de noir. Giulio avait sorti de sa poche intérieure un carnet et un stylo à plume en or, inscrit un nom et un numéro de téléphone, arraché la page et l'avait tendue à Brunetti. « Va voir Gino. Il t'en fera un en un jour. » Brunetti avait froncé les sourcils. Giulio avait pris une autre bouchée de saint-pierre, dont le propriétaire leur avait garanti qu'il avait été pêché le matin même, puis posé soudain sa fourchette et pris un de ses téléphones, placés à côté de son assiette. Il avait tapé un bref message, puis levé les yeux sur Brunetti avec un immense sourire de bonheur, avant de retourner aux affaires sérieuses : leur dîner.

Ils avaient parlé de leurs familles, comme ils le faisaient toujours, et ils s'étaient gardés de discuter des événements du moment, ou de politique, conformément à leur vieille habitude. Leurs enfants grandissaient et leurs parents vieillissaient, tombaient malades et mouraient. Le monde, au-delà de leurs familles, ne pouvait constituer le moindre sujet de conversation. Le fils aîné de Giulio avait quitté la Bocconi[1] pour entrer dans un groupe de rock et sa fille, âgée de dix-huit ans,

1. La Bocconi est une université privée de Milan très prisée, spécialisée dans l'économie, la finance, le management, l'administration publique et le droit.

avait un petit ami peu présentable. « J'essaie d'être un bon père, je veux qu'ils soient heureux et qu'ils aient une bonne vie. Mais je vois ce qui les attend et je ne peux rien y faire. Alors tout ce que je veux, c'est les protéger. »

Brunetti s'était reconnu dans les mots de son ami. « Qu'est-ce qui ne va pas avec son am… », avait-il commencé, avant d'être interrompu par l'arrivée d'un petit homme trapu qui était venu à leur table et avait dit bonsoir à Giulio. Giulio s'était levé et lui avait serré la main, le remerciant d'être venu si rapidement, ou tout au moins c'est ce que Brunetti avait imaginé qu'il lui disait, car ils avaient parlé en napolitain, ce qui aurait très bien pu être, pour lui, du swahili.

Au bout d'un moment, l'homme s'était tourné vers Brunetti qui l'avait salué à son tour. L'homme l'avait toisé de bas en haut, puis lui avait tourné autour. Brunetti, déconcerté, s'était tenu immobile, comme au premier signe d'une menace.

Il lui avait dit, dans un italien constamment ponctué de « ch », de « g » à la place des « c » et de syllabes finales tronquées, comme s'il s'agissait de la tête de traîtres, de ne pas s'inquiéter, qu'il voulait juste le voir de dos. Il avait posé une main sur la table et pris appui sur un genou, et c'est alors que Brunetti avait compris que cet homme devait être Gino, soupçon qui lui avait été confirmé lorsqu'il avait pincé l'ourlet de la jambe droite de son pantalon et l'avait tiré d'un coup sec.

Gino s'était levé en hochant la tête et en marmonnant dans sa barbe, avait tendu la main à Brunetti, puis à Giulio, et dit que ce serait prêt pour le lendemain midi.

« Mais je ne peux pas ! s'était exclamé Brunetti.

– Tu peux te le permettre, avait répliqué Giulio, tout sourire. Sois tranquille. Gino te le fera au prix coûtant et je te promets que je ne lui donnerai pas un sou de plus. » Il avait regardé Gino, qui lui avait rendu son sourire avec un signe d'assentiment et avait levé les deux mains comme pour mieux capter l'idée. Sans laisser le temps à Brunetti de placer un mot, Giulio avait continué : « Si tu refuses, tu me déshonores. » Gino avait pris un air tragique et Giulio avait demandé : « D'accord ? »

Giulio, tout avocat qu'il fût, ne mentait jamais ; tout au moins, pas à ses amis. Brunetti avait fait signe que oui. Il était allé voir Gino le lendemain après-midi : d'où « le costume que Giulio t'a fait faire ».

Paola se tourna et ouvrit un tiroir à la recherche d'un foulard à se mettre sur les épaules. Dans la rue, elle porterait son léger manteau, mais une fois à l'intérieur, elle ne savait pas à quoi s'attendre avec un chauffage installé dans un bâtiment vieux de huit cents ans.

Brunetti enleva son costume de ville et le pendit dans son armoire, prit une chemise propre, puis enleva le pantalon du costume – celui de Gino – du cintre et le mit. Il choisit une cravate rouge : pourquoi pas, après tout ? Au moment où il enfila les bras dans les manches de la veste, il fut submergé par une vague de bien-être. Il la remonta par le revers et fit tourner les épaules jusqu'à ce qu'il la sente parfaitement ajustée. Ce n'est qu'à ce moment-là qu'il se regarda dans le grand miroir. Ce costume lui avait coûté plus de 800 euros ; Dieu seul savait combien payaient les clients de Gino. Gino ne lui avait fourni aucun reçu, mais Brunetti ne lui en avait pas non plus demandé un. *Je suis en paix avec ma conscience*, se dit-il en souriant.

Le trajet jusqu'au palais ne fut pas bien long. Tous les passants qu'ils croisèrent semblaient flâner : le printemps s'installait en ville, invitant les gens, en cette fin de journée de travail, à penser aux plaisirs et aux sensations douces. Au sommet de l'escalier extérieur, un jeune homme leur ouvrit la porte ; il défit Paola de son manteau et leur annonça que le comte et la comtesse étaient dans le petit salon.

Paola le précéda dans ce palais dont Brunetti savait qu'il serait un jour à sa femme. Il s'autorisa à se demander combien il fallait de personnel pour en garantir la bonne marche : comment assurer l'entretien d'une demeure de ces dimensions ? Il n'avait jamais réussi à compter le nombre exact de pièces et ne se permettrait jamais de poser la question à Paola. Vingt ? Il devait sûrement y en avoir davantage. Et pour chauffer tout ce volume ? Sans parler des nouvelles taxes sur les propriétés. Son salaire ne suffirait probablement pas à soutenir tous ces frais et il se retrouverait à travailler pour subvenir aux besoins d'une maison, et non pas de sa famille.

Il mit rapidement fin à ses réflexions en entrant dans le salon. Le comte Orazio Falier se tenait près de la fenêtre, d'où il regardait le palais Malipiero Cappello qui se dressait en face ; la comtesse Donatella était assise sur son divan, un verre de prosecco à la main. Brunetti savait que c'était du prosecco, car le comte avait un jour décoché quelques flèches contre les vins français, affirmant qu'il n'y en aurait jamais chez lui. En outre, ses vignobles dans le Frioul produisaient un des meilleurs proseccos de la région et Brunetti devait avouer qu'ils étaient meilleurs que bien des champagnes qu'il avait goûtés.

Le comte avait subi un léger infarctus quelques années auparavant et depuis, il saluait son gendre en l'embrassant au lieu de lui serrer formellement la main. Il s'était adouci de bien d'autres manières encore : il était à la fois plus aimant et plus indulgent envers ses petits-enfants, se moquait moins facilement de ce qu'il appelait les « croisades » de Brunetti, et l'attachement qu'il avait toujours témoigné à sa chère épouse s'était intensifié de façon notable.

« Ah, mes enfants », dit-il en les voyant, à la grande surprise de Brunetti. Cela signifiait-il qu'après plus de vingt ans il était prêt à accepter Brunetti comme son fils ? Ou bien ne fallait-il y voir qu'une formule affectueuse ?

« J'espère que cela ne vous dérange pas si nous dînons seuls », ajouta le comte en allant à leur rencontre. Il entoura de ses bras les épaules de Paola, qu'il attira à lui pour l'étreindre, puis celles de Brunetti. Il les conduisit vers sa femme et tous deux se penchèrent pour l'embrasser.

Paola se laissa tomber près de sa mère, enleva ses chaussures d'un coup sec et ramena ses pieds sous elle. « Si vous m'aviez dit qu'on serait tout seuls, je n'aurais pas mis cette robe », et ajouta, en désignant Brunetti : « En revanche, j'aurais quand même fait mettre à Guido ce costume. Il est beau, n'est-ce pas ? »

Son beau-père lui lança un regard admiratif et demanda : « Vous l'êtes-vous fait faire ici ? » Comment le comte avait-il pu deviner, se demanda Brunetti, que c'était un costume fait sur mesure et non pas du simple prêt-à-porter ? C'était un des pouvoirs maçonniques que détenait secrètement Orazio Falier, comme du reste son infaillible maîtrise des codes sociaux, qui faisait qu'il était autant à l'aise avec son facteur qu'avec son avocat et qu'il ne blessait jamais personne en péchant par un excès de formalité ou de familiarité. Il fallait sans doute y voir le résultat de huit siècles de bonnes manières.

« Vous avez tous les deux excellente mine ! » s'exclama la comtesse, dans son italien dénué de tout accent. Elle avait vécu quasiment toute sa vie à Venise, mais pas une once de ce parler local n'avait déteint sur son propre langage. Elle prononçait tous les « je », ne se référait jamais à sa fille en disant « la » Paola ; ses phrases ne suivaient aucune inflexion montante ou descendante. « Votre costume est magnifique, Guido. J'espère vraiment que votre supérieur vous verra le porter un jour. »

Le comte était près d'eux, avec deux flûtes de prosecco à la main. « Il est de l'an passé, précisa-t-il en leur tendant leurs verres. Qu'en dites-vous ? »

Brunetti en but une gorgée et le trouva délicieux, mais il laissa le soin à Paola, qui connaissait bien le jargon du métier, d'émettre un jugement. Tandis qu'elle sirotait son prosecco et le faisait tourner sur sa langue, Brunetti observait ses beaux-parents. Le comte avait les traits plus marqués et les cheveux plus blancs, mais il se tenait toujours bien droit, même si Brunetti nota qu'il n'était plus aussi grand qu'autrefois. La comtesse était toujours égale à elle-même, avec ses cheveux blonds qui tendaient maintenant à blanchir légèrement. Elle avait eu le bon sens, des dizaines d'années plus tôt, de déclarer le soleil son ennemi juré, si bien que son visage ne montrait ni rides ni taches.

Paola coupa court à ses pensées en déclarant : « Il est encore jeune et un peu âpre dans l'arrière-gorge, mais dans un an, il sera parfait. » Elle regarda Brunetti et lui suggéra : « Il nous faudra donc aller les voir plus souvent l'année prochaine.» À ces mots, elle se pencha sur le côté, tapota la cuisse de sa mère et commença à lui raconter les derniers exploits scolaires de Chiara.

Le comte revint à la fenêtre et Brunetti, qui ne se lassait pas de cette vue, le rejoignit. Le comte, regardant l'eau qui coulait deux étages en dessous, évoqua ce souvenir : «Je nageais à cet endroit, quand j'étais enfant.

– Moi aussi. Mais pas là. Plus bas, à Castello.» Puis, imaginant l'état actuel des canaux, Brunetti ajouta : «Ce serait terrible, n'est-ce pas, d'en faire autant aujourd'hui.

– Beaucoup de choses sont devenues terribles ici, répliqua le comte, en indiquant de son verre un des palais de l'autre côté du Grand Canal. Le troisième étage du palais Benelli est devenu un bed and breakfast, tenu par le compagnon brésilien de l'héritière et qui lui rapporte assez pour se payer sa cocaïne.» Il se pencha et désigna le canal situé de leur côté. «Deux portes plus bas, le propriétaire s'est fait nommer par des amis inspecteur de la commission des Beaux-Arts et il effectue maintenant des consultations pour les permis de restauration.

– Des consultations ?

– C'est comme cela qu'on les appelle. Une de nos connaissances, un Anglais, voulait complètement réaménager le *piano nobile*[1] d'un palais près de Rialto, mais pour cela, il fallait qu'il abatte un mur qui avait des fresques du XVIe siècle. Il lui a fait faire une

1. Étage noble, qui était l'étage d'apparat dans les palais des familles aristocratiques.

consultation, à la suite de quoi il a obtenu l'autorisation.

– Comment est-ce possible ? » Brunetti posa cette question par pure curiosité personnelle, n'ayant aucunement l'intention de poursuivre l'affaire.

« Les fresques avaient été cachées par un faux mur, probablement pendant des siècles entiers, et n'ont été découvertes que lorsque ses ouvriers ont commencé à enlever ce mur ; elles n'avaient donc jamais été répertoriées. Ces travailleurs venaient tous de Moldavie et ne prêtaient pas spécialement attention à ce qu'ils faisaient. Il a donc fait faire la fameuse consultation et le mur a été abattu.

– Ce consultant est vénitien, je suppose ? » Question superflue de Brunetti, qui savait à qui le comte faisait allusion et qui avait entendu d'autres histoires de cet acabit sur des permis de construire et sur la manière indéfectible de les obtenir, mais il ressentait une sorte de besoin pervers qu'on le lui confirme.

« Ils sont tous vénitiens, précisa le comte, en prononçant le mot comme s'il les avait qualifiés de pédophiles ou de nécrophiles. Que ce soit ceux qui décident que les paquebots de croisière peuvent continuer à faire trembler la ville jusqu'à la briser en mille morceaux, ou à la polluer comme si c'était Pékin ; ou ceux qui crient haut et fort que le MOSE va fonctionner et exposent tous les avantages que nous pourrons encore plus en tirer ; ou ceux qui gèrent le seul casino de la planète en déficit. »

Il y avait des années que Brunetti entendait – et tenait – les mêmes discours, mais cette fois, il énonça ce qu'il se demandait souvent dans son for intérieur : « Qu'allez-vous faire à ce propos ? »

Le comte le regarda avec une affection sincère. « Je suis si heureux que nous puissions enfin nous parler, Guido. » Il prit une gorgée de vin et reposa son verre sur la table. « La seule chose que je puisse faire, c'est ce que j'ai fait ces cinq dernières années.

– C'est-à-dire ?

– Sortir mon argent du pays. Investir dans des pays qui ont un avenir, investir dans des pays où règne la loi. » Il se tut, invitant Brunetti à lui poser la question :

« Et quels sont ces pays ?

– Les pays du Nord. Voire les États-Unis. L'Australie.

– Pas la Chine ? »

Le comte fit la grimace et poursuivit. « Où règne la loi, Guido. Je ne veux pas tomber de Charybde en Scylla. Je ne veux pas passer d'un pays où la loi est à pleurer et le système politique corrompu, à un pays où il n'y a pas de loi et où le système politique est encore plus corrompu. »

Brunetti fit mentalement le tour du globe, à la recherche d'un endroit où dominerait la loi et où – préoccupation majeure de son beau-père – l'argent serait à l'abri. Il se rendit compte qu'habituellement, les gens jouissaient d'une sécurité physique dans les pays où l'argent aussi était en sécurité. La mentalité capitaliste du comte l'avait-il contaminé, ces dernières années, ou avait-il fait le raisonnement inverse et réellement saisi que l'argent était sûr là où les gens étaient sûrs ?

Plutôt délicat de continuer sur ce sujet. Pouvait-il demander au comte Orazio de quel argent il s'agissait ? Pouvait-il lui demander s'il était en train d'investir dans des sociétés là-bas, ou s'il était en train de délocaliser la sienne dans d'autres pays ? La Guardia di Finanza, préposée comme elle l'était au contrôle des situations irrégulières, s'occupait de ce genre de choses. Dans l'écheveau embrouillé de la loi italienne, il y avait toujours moyen de trouver des situations irrégulières, si on le voulait. « Fais les lois pour tes amis, impose-les à tes ennemis. » Combien de fois, dans sa vie, les gens lui avaient-ils expliqué cette règle de survie ?

« J'espère que vos projets seront couronnés de succès, fut tout ce qu'il trouva à dire.

– Merci, dit le comte, avec un sourire et un signe d'assentiment qui octroyaient le droit à Brunetti de ne pas s'aventurer sur ce terrain. Et vous ? Qu'êtes-vous en train de faire ? »

Brunetti n'avait pas besoin de prier le comte de garder le secret. Son beau-père n'aurait jamais atteint cette position dans le pays s'il avait eu la langue bien pendue. « On nous a appelés suite à un vol à la Biblioteca Merula. Quelqu'un qui faisait des recherches là-bas a arraché des pages dans certains livres. D'autres manquent à l'appel.

– Comment y a-t-il eu accès ? N'ont-ils pas vérifié son identité, ou son inscription ? » Puis, après une pause qu'il imprégna d'un semblant de patience, il ajouta : « Encore faut-il qu'ils fassent remplir des bulletins d'inscription, bien sûr.

– Il en a rempli un. Mais il avait un faux passeport et une fausse lettre de recommandation d'une université américaine.

– Personne n'a remarqué qu'ils étaient faux ? »

Brunetti haussa les épaules. « Ils ont cru qu'il faisait partie de la communauté des lettrés. »

Ayant apparemment détourné son attention de sa mère depuis assez longtemps pour avoir pu capter quelques bribes de leur conversation, Paola s'esclaffa.

« "Communauté des lettrés." Ça fait vraiment rire les poules. »

Sa mère intervint, en douceur : « Nous vous avons envoyés dans ces célèbres écoles, ma chérie, et maintenant tu dis tout ce mal de tes collègues. Ne pourrais-tu pas être un peu plus aimable ? »

Paola se pencha sur le côté et prit sa mère par les épaules. Elle embrassa sa joue, puis l'embrassa de nouveau. « Maman, tu es la seule personne au monde qui ne sache pas quelle bande de vauriens sont tous ces lettrés.

– Tu es allée dans ces écoles et tu en es une toi-même, de lettrée, ne l'oublie pas, dit la comtesse.

– Maman, je t'en prie », la supplia Paola. Mais avant qu'elle ait le temps d'ajouter un mot, le jeune homme qui les avait accueillis à leur arrivée parut dans l'embrasure de la porte et annonça que le dîner était servi.

Brunetti tendit la main à la comtesse qui la couvrit de la sienne, aussi légère qu'une plume, et elle se leva sans effort. Paola se leva aussi, avec bien moins de grâce, remit ses chaussures et prit son père par le bras.

Brunetti accompagna la comtesse dans la petite salle à manger. « Cela me perturbe toujours d'entendre Paola dire autant de mal de ses pairs, réitéra sa mère, tandis qu'ils entraient dans la pièce.

– J'en ai rencontré quelques-uns », se contenta de dire Brunetti.

Elle lui lança un regard furtif et sourit.

« C'est une femme impulsive.

– Qui, votre fille ? dit-il en feignant d'être choqué.

– Oh, Guido, je pense que vous l'y encouragez, parfois.

118

– Elle n'en a pas besoin, je crois », se limita-t-il à répondre.

Ils prirent place autour de la table, Brunetti en face de Paola, avec la comtesse à sa gauche et le comte à sa droite. Une jeune femme arriva et posa un énorme plat en faïence au milieu de la table, rempli de hors-d'œuvre aux fruits de mer, qui aurait suffi à rassasier l'appétit des convives, du personnel à l'office et probablement aussi des habitants des palais adjacents.

La conversation roula sur les sujets habituels : les enfants, les parents, les amis réciproques, les maladies – de plus en plus nombreuses, les années passant – puis sur l'état du monde, que tous s'accordaient à qualifier de terrifiant.

Un peu plus tard, lorsque la domestique débarrassa les assiettes qui avaient contenu des coquilles Saint-Jacques au cognac, Paola demanda : « Est-ce que tu as raconté à papa l'histoire de la bibliothèque ? »

Le comte répondit : « Oui, il me l'a racontée. Cela commence, ici aussi. » Il haussa les épaules et prit une gorgée d'eau minérale. Personne n'évoqua la bibliothèque Girolamini de Naples, une des plus illustres du pays, qui avait été pillée par son propre directeur, à présent sous les verrous. Comme l'on soupçonnait que les données du catalogue avaient été faussées, il était impossible de savoir combien de livres il manquait : selon les estimations, la bibliothèque possédait deux mille à quatre mille volumes, dont certains avaient refait surface à Munich et Tokyo, dans les magasins de respectables libraires et dans les bibliothèques d'hommes politiques qui, bien sûr, s'étonnaient de la présence de ces ouvrages. « Dans *ma* bibliothèque ? » On rapportait qu'on avait vu des voitures chargées à bloc sortir de nuit de la cour de l'édifice, grinçant sous

le poids du papier. Combien de volumes manquait-il ?
Qui pouvait le savoir ? Des manuscrits, des incunables, disparus, disparus pour toujours.

« Des amis à moi ont subi des vols dans leurs
bibliothèques, déclara le comte, en mettant un terme à
sa rêverie.

– Puis-je vous demander qui ? » demanda Brunetti,
qui regretta aussitôt d'avoir parlé.

Le comte le regarda et sourit. « Je crois qu'ils pré-
féreraient que vous ignoriez leur nom, Guido. »

Certes, certes : personne ne veut que les autorités
sachent ce qu'il y a chez soi. Que se passerait-il si le
gouvernement balançait une taxe sur les biens privés ?
S'il était capable de remettre une taxe sur votre ou vos
maisons, qu'est-ce qui l'empêcherait d'en mettre une
sur ce qu'il y a à l'intérieur ?

« Ils ne l'ont pas signalé ? » s'informa Brunetti.

Le comte sourit avec indulgence, mais se garda de
répondre.

« Au moins moi, j'ai arrêté l'homme qui le faisait à
l'université », se vanta Paola, d'un ton de satisfaction.

Il n'y eut pas le moindre commentaire. Comme personne n'avait voulu de dessert, ils étaient passés au
café et attendaient que la domestique serve au comte
la *grappa* qu'il avait demandée.

Pour briser le silence qui persistait après la remarque
de Paola, Brunetti se tourna vers sa belle-mère : « La
comtesse Morosini-Albani est un des mécènes de la
Biblioteca Merula, donc il faudra la mettre au courant
des vols. Comment croyez-vous qu'elle va réagir ?

– Mécène ? Elisabetta ? répéta la comtesse. Que
c'est étonnant.

– Pourquoi donc ?

– Elisabetta peut être si près de ses sous parfois, qu'on dirait qu'elle est née ici », rétorqua-t-elle, et Brunetti s'émerveilla que le père de Paola accepte que sa femme fréquente de tels Vénitiens. D'une voix plus réfléchie, et teintée d'une plus profonde tristesse, sa belle-mère poursuivit : « Elle est prête aux pires folies pour se faire accepter dans la société, donc peut-être que faire du mécénat ici ou là est un des prix qu'elle accepte de payer.

– Si elle a été ici, avec vous, remarqua Brunetti en désignant de la main le portrait de l'un des ancêtres du comte, signé de Moroni, c'est qu'elle est acceptée dans la société, non ?

– Oh, si elle est ici, c'est parce que c'est l'une de mes plus vieilles amies, précisa la comtesse avec un chaleureux sourire. Mais la plupart des gens ne veulent pas d'elle.

– Mais vous, oui ?

– Bien sûr. Elle était très gentille avec moi, lorsque nous allions à l'école. Elle a deux ans de plus que moi et elle me protégeait. Et maintenant, j'essaie de lui rendre la pareille, où je peux et quand je peux. » Elle réfléchit un instant, mit sa tasse de café sur le côté et reprit : « Je ne m'en étais jamais rendu compte, mais c'est la même situation. J'étais en marge, et les autres filles, plus grandes, plus riches, me harcelaient terriblement là-dessus. Un jour, Elisabetta – c'était la fille d'un prince, après tout, même si sa famille était en faillite et leur palais en ruine – m'a prise comme amie, j'ai été acceptée.

– Apparemment, ce n'est pas le cas pour elle, la coupa Paola.

– Tu connais Elisabetta, répliqua la comtesse. Elle ne mâche pas ses mots, elle a toujours des jugements bien tranchés et ce n'est pas quelqu'un de facile. Sans compter qu'elle s'est retrouvée, en plus, avec ces malheureux beaux-enfants. »

Paola hocha la tête. Brunetti, imaginant d'avance la réponse de la signorina Elettra, demanda : « Malheureux, ou faisant son malheur à elle et à d'autres encore ?

– À eux tous, dirais-je », répondit le comte.

La comtesse ne put dissimuler sa surprise. « Tu connais ses beaux-enfants ?

– J'ai été en affaires avec Gianni et j'ai rencontré ses deux sœurs. Elles ont essayé de récupérer de l'argent.

– De ta part ?

– Non, d'un investissement qu'il avait fait pour elles dans une de mes sociétés.

– Qu'est-ce qui s'est passé ? intervint Paola. Quelle société ?

– Oh, c'était une petite chose, une ferme éolienne aux Pays-Bas et il n'y avait pas vraiment de grosses sommes en jeu.

– Combien ? demanda Brunetti, intrigué de savoir où commençait pour lui une "grosse somme".

– Oh, un demi-million d'euros, peut-être un peu plus. Je ne me souviens plus. Cela fait environ six ans.

– Qu'est-ce qui s'est passé ? répéta Paola.

– Il s'agissait d'une société qui tournait bien, mais Gianni décida de retirer ses billes trop tôt, et lorsqu'il est venu me voir, les actions avaient diminué environ de moitié. Il m'a dit qu'il avait besoin d'argent. Il a d'abord essayé de m'en emprunter, mais j'ai refusé. Puis il a proposé de me vendre l'ensemble des valeurs en Bourse. » Le comte regarda sa femme, mais l'arrivée de la *grappa* lui épargna de devoir continuer son histoire.

Il prit son eau-de-vie et s'apprêtait à en donner son avis, lorsqu'il fut interrompu par la comtesse qui demanda : « Et à combien s'élevait son offre ? »

Brunetti, qui n'avait pas osé poser cette question, attendait la réponse avec curiosité. Le comte porta un toast à sa femme avec son tout petit verre et en but une gorgée. Il le posa devant lui et pencha sa tête sur le côté, comme s'il reconnaissait qu'il ne pouvait en aucun cas éluder la question de sa femme.

« Il m'a dit qu'il se contenterait d'un montant inférieur pour ces actions si je lui donnais un reçu avec un montant encore inférieur à ce dernier, reçu qu'il montrerait à ses sœurs, et qu'il me donnait la moitié de la différence en liquide. C'étaient des actions qu'ils détenaient tous les trois ensemble, mais c'est lui qui les gérait parce que les affaires n'étaient pas leur fort. » Puis il ajouta ce point significatif : « Elles avaient confiance en lui. À l'époque.

– Et qu'est-ce que tu as fait ? demanda Paola.

– J'ai refusé. Je lui ai dit qu'il était libre de vendre ses actions comme bon lui semblait, mais que moi, ça ne m'intéressait pas. » Le comte prit une autre gorgée et déclara, d'un ton irrité : « Il a insisté lourdement, il m'a fallu devenir cassant. Et il est parti. » Au bout d'un moment, il reprit : « Ses sœurs sont venues me voir un mois plus tard, exigeant que je les indemnise de leurs pertes. Gianni leur avait dit que je l'avais escroqué, que je les avais tous escroqués.

– Tu ne me l'avais jamais raconté, Orazio, nota la comtesse.

– Elisabetta est ton amie, ma chère. Je ne voulais pas te mettre dans une position délicate.

– Qu'est-ce que tu leur as dit ? s'enquit-elle, visiblement perturbée par ce qu'elle venait d'entendre.

– Je leur ai dit de demander à leur avocat de parler au mien et que j'expliquerais ce qui s'était passé.

– Tu leur as dit ce que Gianni avait essayé de leur faire ?

– Cela n'aurait pas été correct, ma chère. C'est leur frère.

– Est-ce qu'elles l'ont fait ? Est-ce que vos avocats se sont contactés ?

– Oui. Arturo leur a expliqué les tenants et les aboutissants de la vente.

– Est-ce qu'il leur a dit ce que Gianni était prêt à faire ?

– Je ne l'ai jamais raconté à Arturo, déclara le comte en finissant sa *grappa*.

– Que va devenir Gianni ? » s'inquiéta la comtesse.

Le comte haussa les épaules et se leva de son fauteuil. « Je n'en ai pas la moindre idée. Je sais seulement qu'il n'est pas aussi intelligent qu'il le croit et qu'il est incapable de résister à ses pulsions – quelles qu'elles soient. C'est pourquoi toutes ses initiatives sont inéluctablement vouées à l'échec. »

9

Ils rentrèrent chez eux à pied, main dans la main, un désir suscité par l'arrivée du printemps, ou peut-être par l'admiration que le costume de Brunetti continuait d'inspirer à Paola. «Je l'ai toujours vue comme un sympathique dragon, lança Brunetti, pensant que Paola comprendrait.

– Elisabetta?» C'était une demande de confirmation de sa part, et non pas une question.

«Certainement pas ta mère.»

Au bout d'un instant de réflexion, Paola affirma: «Je vois ce que tu veux dire; elle l'est, sans l'être.

– Les fois où je l'ai vue chez tes parents, elle ne crachait pas de fumée ni de feu par les narines, mais elle ne semblait jamais se soucier de savoir si les gens l'aimaient ou pas, et ce qui est sûr et certain, c'est qu'elle a son franc-parler.

– Avec nous, elle sait qu'elle est avec des gens qui l'aiment bien.

– J'en fais partie?» s'enquit Brunetti.

Paola, étonnée, se tourna pour le regarder en face. «Bien sûr que tu en fais partie. Gros bêta. Vu que tu es un des nôtres, elle ne joue pas la comédie, elle est elle-même.

– C'est-à-dire?

– Intelligente, indépendante, impatiente, seule. »

Brunetti, qui avait bien remarqué les trois premières caractéristiques chez la comtesse, n'avait pas pris la quatrième en considération. « Qu'est-ce que tu penses de cet argent qu'elle a donné à la bibliothèque ?

– Je suis d'accord avec ma mère : c'est le prix qu'elle pense devoir payer pour se faire accepter dans la société.

– On dirait que tu ne crois pas qu'elle y arrivera.

– Je connais ces gens, Guido. Pour l'amour du ciel, je suis de ce milieu. Ne l'oublie pas. Elle a un bon pedigree, autant du côté de son père que de sa mère, qui date de bien plus longtemps que les titres de noblesse d'ici. Mais elle est sicilienne et elle n'est pas princesse – même si son père était un prince –, donc elle n'entrera jamais dans le sérail. Pas complètement.

– Même si elle a épousé un Vénitien ? »

Paola le surprit en répondant : « Peut-être pour cette raison, justement.

– Tu ne trouves pas ça un peu fou ? demanda Brunetti d'un ton neutre.

– J'ai compris à quel point c'était fou dès l'âge de six ans, mais cela n'a jamais rien changé à l'affaire. » Elle s'arrêta au sommet du pont de San Polo et s'appuya contre le parapet. « J'aimerais bien qu'elle en prenne son parti, mais je ne crois pas qu'elle y parviendra. C'est trop ancré en elle, ou ça remonte à trop loin dans le temps, et c'est le seul monde qu'elle connaisse, donc c'est le monde où il lui faut être acceptée.

– Tu crois qu'elle me parlerait ?

– Elisabetta ?

– Oui.

– Je suppose que oui. Je te l'ai dit, elle te voit comme un des nôtres. Et elle t'aime bien. » Puis elle ajouta, comme à son habitude, alors qu'il mettait la clef dans la serrure : « Je crois. »

Le lendemain matin, Brunetti attendit jusqu'à 10 h 30 pour appeler la comtesse Elisabetta au numéro que Paola lui avait donné, ce qui lui laissa le temps de vérifier à la fois dans *Il Gazzettino* et *La Nuova* s'il y avait un article sur le vol à la bibliothèque, mais aucun des deux journaux n'y faisait allusion.

Il appela la comtesse sur son portable et après deux sonneries seulement, une voix de femme lui répondit : « Morosini-Albani.

– Madame la comtesse, commença Brunetti, je suis Guido Brunetti, l'époux de Paola Falier.

– Votre nom me suffit pour vous reconnaître, commissaire. » C'était une plaisanterie, non pas une provocation.

« J'en suis flatté, madame la comtesse, nous avons eu si rarement l'occasion de discuter au cours des dîners.

– Je l'ai toujours déploré. » Son accent ne trahissait que des traces infimes de ses origines siciliennes.

« Alors peut-être pourrions-nous discuter aujourd'hui, si vous avez le temps, répliqua-t-il, estimant qu'il valait mieux être direct avec la comtesse.

– À quel sujet ? s'informa-t-elle, et il lui revint alors en tête l'hésitation de la dottoressa Fabbiani à lui parler du legs.

– La Biblioteca Merula. »

Il s'ensuivit une longue pause. « La dottoressa Fabbiani vous a parlé de mon action au sein de la bibliothèque ? finit-elle par dire.

– Elle n'avait pas le choix, madame la comtesse.

– Les gens ont toujours le choix, rétorqua-t-elle immédiatement.

– Peut-être très peu, quand la police est impliquée, répondit-il avec douceur.

– Malheureusement, oui, approuva-t-elle, visiblement contrariée à cette idée. Est-ce là une requête officielle d'information ? Même si je ne vois pas en quoi je peux vous aider.

– Je veux vous parler des livres, comtesse. Je suis plutôt ignare dans ce domaine.

– Mais nous avons déjà parlé de livres, commissaire. »

Cette réplique sonnait tellement faux qu'il en rit. « J'entends de livres rares.

– Ceux que les gens pourraient voler ?

– Ont volé, en l'occurrence, osa avancer Brunetti.

– Cela signifie-t-il que vous êtes chargé de l'enquête ?

– Oui.

– Alors il vaut mieux que vous veniez ici et que nous en parlions. »

Il savait où se trouvait son palais : il passait devant quand il allait au collège, et lorsqu'il prenait avec Paola le chemin des écoliers après avoir dîné aux Carampane[1]. Ses quatre étages surgissaient sur un petit *campo* à San Polo ; sa porte d'eau, sur le côté, donnait accès à un des canaux perpendiculaires du *rio* du même nom. Les fenêtres du rez-de-chaussée et du premier étage étaient protégées par des barreaux en fer.

1. Situé dans le quartier des *carampane*, nom donné aux prostituées d'autrefois.

Brunetti, qui voyait ces grilles depuis des décennies, s'était toujours dit que si un incendie venait à éclater, les habitants seraient obligés de sauter du deuxième étage. Rien n'avait été fait pour les enjoliver : elles ne présentaient ni gracieuses arabesques, ni le moindre travail en filigrane. Elles étaient aussi droites que des lignes de mots croisés et avaient été soudées, il y a fort longtemps, au point d'intersection des verticales et des horizontales. Seules des mains tendues les avait traversées depuis lors.

Les grilles avaient rouillé au fil des siècles et avaient engendré de longues traces noires le long de la façade. Elles rappelèrent à Brunetti les signes du temps lisibles sur le devant de la maison de Franchini.

Il passa sa mallette dans sa main gauche et sonna. Très rapidement, une petite femme à la peau mate, en tablier blanc, lui ouvrit la porte. Elle pouvait être thaïlandaise ou philippine. « Monsieur Brunetti ? » demanda-t-elle. Il hocha la tête et elle lui fit ce que l'on aurait appelé, au temps jadis, une révérence. Brunetti s'abstint de sourire. Elle fit un pas sur le côté, dit que la comtesse l'attendait et le fit entrer dans le vaste *androne*[1] qui s'étendait jusqu'au canal, où il eut un meilleur aperçu des fenêtres grillagées.

Elle ferma la porte, ce qui sembla lui coûter passablement d'efforts. Elle se tourna ensuite et lui fit traverser la pièce, puis monter une volée de marches qui menait au premier étage. La porte au sommet de l'escalier était constituée d'un large panneau composé de carrés en bois de noyer, où au milieu était sculptée une rose épanouie. La poignée, en cuivre, était en forme de patte de lion.

1. Ample vestibule situé au rez-de-chaussée des palais.

À l'intérieur, ils longèrent le corridor central dénué de fenêtres et entrèrent dans un ample salon qui donnait sur un *campo*. Elle l'invita à s'installer et lui dit qu'elle allait chercher la comtesse. Elle franchit une porte à double battant, percée de l'autre côté de la pièce, et disparut.

Il n'avait aucune idée de la durée de l'attente, mais il ne voulait pas que la comtesse le trouvât assis à son arrivée. Il alla observer la première peinture sur sa gauche, une grande scène de chasse à courre, où l'on voyait un sanglier renversé sur le sol par une meute de chiens, la gueule dégoulinante de bave, mais deux d'entre eux semblaient avoir renoncé à la poursuite pour se rouler ensemble par terre. Un énorme danois était en train de dépecer l'oreille du sanglier, tandis qu'un autre lui bloquait une patte arrière. Brunetti reconnut le style grâce à une nature morte que le comte avait dans son bureau et se dit que ce pouvait être une œuvre signée de Snyders, mais même le nom du peintre ne put lui faire aimer le tableau.

Il y avait également six portraits d'hommes et de femmes sur le mur éclairé par la faible lumière qui provenait de la place. Il détecta une ressemblance entre l'un des chasseurs et le sanglier ; l'expression d'un autre de ces hommes ne différait pas beaucoup de celle du chien qui tirait la bête par sa patte postérieure. Il se demanda si c'étaient des portraits de famille.

L'arrivée de la comtesse le tira de ses réflexions. Elle était vêtue d'un simple pull gris et d'une jupe plus foncée qui lui descendait légèrement en dessous des genoux. Brunetti se souvint qu'elle avait de belles jambes et un regard furtif le lui confirma. Elle portait maintes chaînes composées de minuscules cercles dorés, plus petits qu'une tête d'épingle, dans ce style délicat dit Manin[1], qui avait toujours fait rêver sa mère et ses amies. Elles aspiraient à en posséder une ; la comtesse en avait une trentaine sur elle.

Il savait qu'elle avait deux ans de plus que sa belle-mère, mais elle faisait dix ans de moins. Elle avait une peau immaculée et un teint de lys et de roses ; Brunetti s'ébroua mentalement lorsqu'il se surprit à user de ces termes.

Elle traversa rapidement la pièce pour venir le saluer, lui tendit la main et ne parut pas du tout surprise lorsqu'il se pencha pour l'embrasser. Elle l'invita à s'asseoir et lui demanda : « Puis-je vous offrir un café, commissaire ?

– C'est très aimable à vous, comtesse, mais j'en ai déjà pris un en route. Je suis très sensible au fait que vous ayez accepté de me parler. »

Il attendit qu'elle prenne le fauteuil en face de lui avant de s'asseoir. Juchée bien droite sur son siège, elle avait un si parfait maintien qu'il se demanda si elle avait jamais effleuré le dossier d'une chaise. Son profil, et il l'avait remarqué dès la première fois où il l'avait vue, n'avait pas le moindre défaut, avec son nez grec et son front haut qui dégageaient, sans qu'il puisse véritablement se l'expliquer, optimisme et énergie. La couleur de ses yeux, qui n'aurait pu se rapprocher davantage du noir, était nettement mise en relief par la pâleur de son teint.

Brunetti posa sa mallette par terre. « Je voudrais vous remercier d'avoir trouvé le temps de vous entretenir avec moi, comtesse.

---

1. Très fine chaîne d'or, dont le nom provient de la riche famille Manin, d'où était issu le dernier doge de la Sérénissime, Ludovico Manin.

– On a volé et abîmé des livres qui étaient à moi, et vous faites tout votre possible pour trouver le ou la responsable. Je ne pense pas que ce soit spécialement généreux de ma part de vous consacrer mon temps. » Elle sourit pour adoucir sa remarque.

Ne sachant si elle venait de lui exprimer un reproche ou un remerciement, il déclara : « J'espère que je ne vous paraîtrai pas trop vénal, mais je suis venu surtout vous parler de la perte financière pour la bibliothèque et, si vous disposez encore d'un peu de temps, pour m'instruire en matière de livres. La dottoressa Fabbiani m'a dit que vous étiez une grande experte dans ce domaine. »

Il perçut la surprise qui lui sillonna le visage et insista : « Elle était très élogieuse à votre égard.

– J'en suis flattée, répliqua la comtesse, qui semblait sincère.

– Elle m'a dit que vous aviez le sens des livres », lui rapporta-t-il. Elle sourit à ces mots et leva la main comme pour repousser le compliment. Brunetti poursuivit : « En fait, je m'y connais très peu en livres, je veux dire, en livres de cette qualité. Je comprends le vol en lui-même, mais je ne comprends pas pourquoi ils ont choisi de voler tel ou tel livre plutôt qu'un autre, et ce qui s'ensuivra : à quel endroit ces pages peuvent être vendues, et quelle peut être leur valeur.

– Quel dommage que nous n'ayons jamais abordé ces sujets lors des dîners chez Donatella.

– J'y vais en tant qu'époux de Paola, et non pas comme policier.

– Mais c'est bien dans ce rôle que vous êtes venu ici, aujourd'hui ?

– Oui », approuva-t-il. Brunetti ouvrit sa mallette et en sortit un carnet et un stylo. « Un des livres qui ont été volés, commença-t-il, faisait partie de votre legs à la bibliothèque. La dottoressa Fabbiani m'a dit que c'était un Ramusio, mais je n'ai aucune idée de ce qu'il peut valoir.

– Quelle importance, au fond ?

– Cela me donne une idée de la gravité du crime.

– La question n'est pas là. Il s'agit d'un beau livre rare. »

Brunetti secoua la tête, pour éviter toute confusion. « N'oubliez pas que ma vision est celle d'un policier, comtesse. La valeur marchande du livre joue sur la manière dont nous traiterons le dossier. »

Il la regarda prendre ces propos en considération, certain que cette idée la blesserait. « Le prix que nous les avons payés doit figurer dans les documents de famille, affirma-t-elle.

– Mais ces prix ne sont-ils pas caducs aujourd'hui ? » demanda-t-il, même si la réponse était courue d'avance. Puis, pensant que ce détail les aiderait à estimer leur valeur actuelle, il s'informa : « Le Ramusio était-il assuré ?

– Mon beau-père avait dit un jour qu'il envisageait de contracter une assurance pour les biens à l'intérieur du palais. Mais il m'a dit que cela revenait moins cher de veiller à ce qu'il y ait toujours au moins un serviteur à la maison. » Elle lui lança un regard d'une froide neutralité.

« En effet, cela coûtait sans aucun doute moins cher.

– À l'époque, oui. » Après lui avoir fait part de la position sociale et de la fortune de la famille de son époux, elle ajouta, dans un esprit plus pragmatique : « Pour trouver leur prix actuel, il est possible de vérifier en ligne les listes des ventes et des ventes aux enchères. »

Comme Brunetti se doutait de l'existence de ce genre de listes, il suggéra : « Je vais charger quelqu'un de le faire. » Il disposait, lui aussi, de personnel à son service.

« Que manque-t-il d'autre ? s'enquit-elle.

– Je ne crois pas qu'ils le sachent encore. L'homme qui a coupé les pages n'a jamais demandé ni reçu les deux livres qui manquent.

– Mais elle est sûre qu'ils ont disparu ?

– Oui. »

Au bout d'un moment, la comtesse demanda : « Cela signifie-t-il qu'il y a plus d'un voleur ?

– Apparemment, oui. »

Elle fit un bruit qui, chez une personne dépourvue de titre de noblesse, aurait été qualifié de renâclement et lâcha : « Et dire que je les croyais plus en sécurité dans une bibliothèque. »

Brunetti eut la sagesse de ne souffler mot.

« Cet homme était là depuis trois semaines et personne n'a rien vu ? » s'exclama-t-elle.

Il perçut la dureté de sa voix, mais continua à se taire.

« Elle m'a dit qu'il était américain, précisa la comtesse, mais cela ne change rien à l'affaire. »

Brunetti se pencha et sortit les documents de sa mallette. « Il s'appelle Joseph Nickerson », dit-il en la regardant, pour voir si le nom lui disait quelque chose. De toute évidence, non ; il lui livra donc la suite des informations : l'université du Kansas, l'histoire du commerce maritime en Méditerranée, la lettre de présentation, le passeport.

« Avez-vous une photo de lui ?

– Oui, répondit Brunetti, en lui passant la photocopie du passeport.

– Il a bien un air américain, constata-t-elle avec une légère moue de dédain.

– C'est ce qu'il leur a dit, à la bibliothèque. » Brunetti reprit le papier et observa de nouveau le visage. Les gens qui avaient parlé à Nickerson s'étaient adressés à lui en italien et avaient entendu son accent, qui pouvait être anglais, ou celui d'un autre pays encore. Il parlait italien couramment. Brunetti en vint à se demander si en fait, il n'avait pas appris l'accent plutôt que la langue, et se dit que cet homme était peut-être italien. Puisque le passeport était faux, pourquoi porter crédit aux mentions que portait cette pièce d'identité ?

Il jeta un nouveau coup d'œil à la photo, l'imagina avec les cheveux plus foncés et un peu plus longs. Oui, c'était possible. Dommage que Nickerson n'ait pas laissé un échantillon de son écriture, ne serait-ce que quelques mots : cela aurait bien mieux révélé son origine que son accent ou son apparence.

La comtesse garda le silence un long moment, tandis que Brunetti continuait à se focaliser sur l'idée de la calligraphie. Nabokov n'avait-il pas écrit quelque part qu'il avait arrêté, sciemment, de mettre une barre au chiffre 7 lorsqu'il partit en Amérique, pour déclarer ainsi publiquement qu'il avait laissé le Vieux Monde derrière lui ? Comment Nickerson avait-il demandé ses livres, si ce n'est en remplissant des bulletins ? Ou avait-on informatisé même cette démarche ?

La comtesse le tira de ses réflexions. « À propos, comment suis-je censée vous appeler ? Commissaire ? Dottore ? Monsieur ?

– L'époux de Paola s'appelle Guido, énonça-t-il. Serait-ce abuser de votre bonté que de vous demander de m'appeler ainsi ? »

Elle pencha la tête sur le côté et se mit à le scruter si minutieusement que Brunetti finit par se sentir mal à l'aise. Même s'il restait, en un sens, sous les ailes protectrices de la famille Falier, la comtesse risquait de les perdre de vue au cours de cette observation.

« Oui, c'est bien votre prénom, n'est-ce pas ? À propos, qu'est-ce que vous vouliez savoir sur les livres ? » lui demanda-t-elle, sans le désigner en aucune façon et en réitérant le *Lei*[1] formel avec lequel il s'était adressé à elle.

Il lui fallut un moment pour digérer le fait qu'elle n'ait pas glissé vers une forme grammaticale plus intime et retourna à son crime. *Cui bono ?* À qui profitait le vol, et comment mesurer ce profit ? Si le voleur et le futur possesseur des livres n'étaient pas la même personne, comment pouvaient-ils en tirer chacun des bénéfices ? Ils pouvaient vouloir les livres ou les pages pour différentes raisons, l'une vénale et l'autre… Il ne parvenait pas à trouver le mot approprié, sans doute parce que ce type de désir lui échappait.

La comtesse interrompit le cours de ses pensées en s'éclaircissant la gorge, en signe d'impatience.

« Vous êtes connue pour être une collectionneuse. Une collectionneuse intelligente. » Il marqua une pause pour voir si elle répondrait au compliment, mais elle attendait, tout simplement, le visage impassible.

Il n'avait d'autre choix que de continuer. « Je ne comprends pas l'envie de posséder des livres rares. Je veux dire, envie au point de les voler, ou de les faire voler.

---

1. La forme de politesse se fait en italien par le pronom personnel de la troisième personne, au féminin singulier, *lei*, « elle », correspondant à « Sa Seigneurie ».

– Et donc ?

– Et donc j'aimerais que vous m'aidiez à comprendre pourquoi certaines personnes en arrivent là. Et quel genre de personne en arrive là. »

À son grand étonnement, elle lui sourit. « Donatella m'a un peu parlé de vous.

– Dois-je m'en inquiéter ? » demanda-t-il avec légèreté.

Elle refit le même sourire. « Non, pas du tout. Elle m'a dit que vous êtes quelqu'un qui veut comprendre les choses. » Sans lui laisser le temps de la remercier du compliment, car c'est ainsi qu'il avait interprété ses mots, elle poursuivit : « Mais cela ne va pas vous aider, en l'occurrence. Il n'y a rien à comprendre. Les gens volent pour l'argent.

– Mais... », la coupa Brunetti.

Elle superposa sa voix à la sienne :

« C'est la seule et unique raison qui anime les voleurs. Oubliez les articles sur les hommes qui nourrissent une folle passion pour les cartes, les livres et les manuscrits : ce sont de pures fadaises, enrobées d'un halo de romantisme. C'est Freud, version bibliothèque. » Elle se pencha et leva une main, geste superflu car elle avait déjà capté toute l'attention de Brunetti. « Les gens volent des livres, des cartes et des manuscrits, et ils en arrachent des pages isolées ou des chapitres entiers, parce qu'ils peuvent les vendre. »

Comme l'avidité était aux yeux de Brunetti le mobile le plus plausible pour les crimes humains, il lui demanda calmement : « Et qui est-ce qui les achète ?

– J'ai entendu dire que ce sont des trafiquants, des galeristes, des maisons de vente aux enchères, qui sont prêts à acheter sans poser de questions.

– Est-ce que les voleurs volent sur commande ?

– Dans la mesure où les livres sont exempts du sceau de la bibliothèque et s'ils sont assez rares, ils les vendent. » Puis elle souligna, d'un ton plus que farouche : « À la fine fleur de la société, naturellement. »

Brunetti garda le silence, puis finit par demander : « Et qui est-ce ? »

Elle le regarda longuement, comme pour soupeser jusqu'où elle pouvait pousser les confidences. « Des gens qui veulent de belles choses, mais les veulent au rabais.

– Faites-vous allusion à des gens que vous connaissez ?

– Je suis probablement en train de faire allusion à des gens que vous, vous connaissez », asséna-t-elle.

10

« Que pouvez-vous me dire sur ce genre de marché ?
s'enquit Brunetti.

– Celui des livres et des pages ? » demanda-t-elle,
comme si ces mots pouvaient continuer à alimenter sa
colère. Puis elle prit une voix plus tempérée. « Je ne
pense pas avoir beaucoup plus à vous dire. Ce sont des
professionnels qui entrent dans les bibliothèques et qui
les volent, et ils le font parfois sur commande.

– Qui est-ce qui les achète ?

– Les collectionneurs achètent les pièces importantes », répondit-elle, puis elle se tut. « Je vous prie de
comprendre que je suis simplement en train de vous
rapporter les conclusions que j'ai pu tirer d'années de
discussions ou de bribes de conversation que j'ai pu
glaner, ici ou là.

– Et le reste ?

– Les petites pièces – comme les pages extraites
d'un livre sur les oiseaux, ou sur les fleurs, ou encore
les mammifères – peuvent être vendues à de petits
magasins. » Elle tourna son attention vers les fenêtres
s'ouvrant de l'autre côté de la *calle*. « Il est possible,
et même vraisemblable, que les gens qui les achètent
pour leurs boutiques ne savent pas forcément qu'elles
ont été volées. »

Elle n'en semblait pas tout à fait convaincue ; Brunetti non plus, car il savait avec quelle facilité l'humain se persuade de ce qu'il veut bien croire. Mais il passa outre, sans poser de questions.

« Et je suppose que les gens qui achètent ces pages dans une boutique, poursuivit-elle, n'ont pas vraiment de raisons de soupçonner qu'elles ont été volées. » Brunetti la regarda et fit un signe d'assentiment, puis revint à son carnet.

« Il y a les boutiques qui font des encadrements, il y a aussi les marchés dans les rues et les foires : on y achète et on y vend ; il est donc facile pour un voleur de se délester de ces pages dans ce genre d'endroits.

– Revenons aux livres entiers, ceux qui ont le plus de valeur, suggéra-t-il.

– Ah, commença-t-elle en étirant la voyelle un long moment, eux sont beaucoup plus difficiles à cacher ou à dissimuler. S'ils proviennent d'une bibliothèque, ils en portent le sceau sur certaines pages. Chaque bibliothèque a son système à elle, mais elles l'apposent toutes sur plus d'une page. » Il hocha la tête, pour bien lui signifier qu'il n'était pas complètement profane en la matière. « Une fois que le sceau figure sur ces pages, c'est comme si la mention "Volé" était estampillée sur la couverture des livres.

– Alors pourquoi se donnent-ils tout ce mal pour les acheter ? »

Elle se recula dans son fauteuil, comme pour mieux le voir. Et croisant les mains sur les genoux, elle lança : « Vous ne faites pas honneur à la famille de votre femme, vous savez.

– Cela fait des années qu'on ne m'avait plus fait cette réflexion », répliqua Brunetti en souriant.

Elle rit. On aurait dit la toux d'un fumeur, ce qui le surprit tant qu'il s'apprêta à se lever pour lui venir en aide, mais elle agita sa main en l'air pour lui faire signe de ne pas bouger. Lorsque le bruit s'arrêta, elle précisa : « Je voulais dire que visiblement, vous manquez de ce besoin compulsif d'acheter, typiquement vénitien. »

Il haussa les épaules, prenant ces mots pour un compliment, mais sans en être tout à fait sûr.

« Beaucoup veulent avoir ce genre de livres pour pouvoir s'en vanter, tout au moins auprès de certains amis, pour les impressionner avec leur nouvelle acquisition, et ils savent qu'on ne leur posera aucune question. Pour pouvoir dire qu'ils ont un manuscrit de Galilée ou une première édition de ceci ou de cela. Quelque chose de rare. Un survivant du XVIe siècle. Un fragment du patrimoine culturel. » Sa voix s'était ternie, comme celle d'un magistrat énumérant des chefs d'accusation. « Cela laisse entendre qu'ils sont plus sophistiqués que ceux qui s'achètent une Ferrari, je suppose. » Mais elle les écrasait de son mépris.

Il opina du chef, comprenant ce désir mais sans le ressentir au fond de lui.

« J'apprécie que cela n'ait aucun sens à vos yeux », énonça-t-elle avec un nouveau sourire, même si celui-ci finit par une grimace. Elle indiqua quelque chose derrière lui. Brunetti se tourna et vit le portrait d'un homme au nez crochu, portant une veste en velours marron foncé. Du XVIe siècle, paria-t-il, probablement d'Italie centrale ; de Bologne, peut-être ?

« Combien vaut ce tableau ? » lui demanda-t-elle.

Il remit son carnet dans sa poche et se leva ; il s'approcha de la toile pour la regarder de plus près. Nul doute que c'était un peintre doué : il suffisait de regarder les mains du personnage pour s'en apercevoir. Brunetti aurait pu tendre la sienne et caresser le velours, et comme ils étaient de la même taille, il pouvait lire sa vive intelligence dans ses yeux, la puissance de ses mâchoires et la solidité de ses épaules. Ce pouvait être un ami loyal, comme un farouche ennemi.

« Je n'en ai pas la moindre idée, avoua-t-il, en gardant les yeux sur l'homme. Tout ce que je peux dire, c'est que c'est un beau tableau, d'une prodigieuse facture. »

Il se tourna vers elle et la vit sourire de nouveau. « Si je vous disais que c'est un de mes ancêtres, seriez-vous d'accord avec l'idée qu'il a plus de valeur pour moi que pour vous, ou pour tout autre individu ?

– Sauf pour un autre membre de votre famille, spécifia-t-il.

– Bien sûr. »

Brunetti regagna son fauteuil et se rassit en face d'elle. « Qu'y a-t-il à savoir sur les collectionneurs ? Et sur la valeur de ces choses ? »

Elle s'était manifestement attendue à cette question, ou à une question analogue. « La plupart de ces gens sont étranges. Ce sont presque tous des hommes et la plupart aiment à parader. » Il fit un signe d'assentiment pour lui indiquer qu'il connaissait ces deux caractéristiques et elle enchaîna : « Si vous exhibez une montre, une voiture ou une maison, c'est facile pour vos amis de savoir combien elles valent et ils pourront donc se pâmer devant votre Lamborghini ou votre Patek. Mais peu de gens savent ce que valent les livres.

– Alors pourquoi se donner le mal de les collectionner ? Et pourquoi se donner le mal de les voler ? Ou de les faire voler ? Tout ce que vous gagnez, c'est de faire de vous un voleur de plus haut vol. »

Elle sourit à cette expression. « Si leurs amis sont aussi des voleurs, alors c'est une raison de plus pour fanfaronner. »

Brunetti n'avait pas envisagé la question sous cet angle. *Sommes-nous tombés si bas ?* Il songea un instant aux bibliothèques de certains hommes politiques où on avait trouvé des livres volés. *Oui, nous sommes bien tombés si bas.*

« Il y a des gens qui collectionnent des livres parce qu'ils les aiment et les voient comme un élément de notre histoire et de notre culture, déclara-t-elle. Je n'ai pas besoin de vous le dire.

– Était-ce le cas de la famille de votre mari ? »

Elle partit d'un nouvel éclat de rire et il se dit derechef qu'elle lui faisait penser à un gros fumeur. « Oh mon Dieu, non. Ils les achetaient dans un esprit d'investissement. Et ils avaient raison, d'ailleurs. Ils valent une fortune, à présent.

– Est-ce que vous allez tous les donner à la bibliothèque ?

– Probablement que oui. Je préfère les savoir en sécurité dans une bibliothèque, où les gens intéressés peuvent les lire, que de les voir tomber dans les mains de gens qui les voient uniquement comme des mines d'or. »

Pressentant sa réaction, elle lui demanda à brûle-pourpoint : « Avez-vous d'autres questions ?

– À quel point endommage-t-on un livre en lui arrachant une page ?

– C'est irréparable. Même si l'on retrouve les pages. Le livre n'est plus le même objet. »

Cette réflexion lui évoqua l'idée de la virginité féminine, qui était en vogue quand il était jeune, mais

Brunetti se dit qu'il était plus prudent de ne pas énoncer cette comparaison.

« Et l'effet sur le…, hésita-t-il, ne sachant quel mot utiliser. Prix ?

– Il baisse énormément, au moins de moitié, même s'il ne manque qu'une seule page. Le livre a perdu son intégralité.

– Et si le texte n'a pas été touché ?

– Que voulez-vous dire ?

– S'il est intact. Si on peut encore lire le texte en entier. »

Elle ne put s'empêcher de contracter sa bouche en une moue de désapprobation. « Nous ne parlons pas de la même chose, rectifia-t-elle. Je suis en train de parler d'un livre, et vous êtes en train de parler d'un texte. »

Brunetti sourit et reboucha son stylo. « Je pense que nous sommes tous les deux en train de parler de la même chose, madame la comtesse : de livres. Simplement, nous leur attribuons une définition différente. » Il se leva.

« Est-ce tout ? demanda-t-elle, surprise.

– Oui, vous m'avez généreusement accordé votre temps et dispensé votre savoir, madame la comtesse. »

Il referma son carnet et le mit dans la poche intérieure de sa veste. Elle lui rendit les papiers, en jetant un dernier coup d'œil à la photo sur le passeport de Nickerson, et Brunetti les glissa dans sa mallette.

Elle le regarda la fermer d'un coup sec et se leva de son fauteuil, puis se dirigea vers la porte.

« Je vous remercie de nouveau pour le temps que vous m'avez concédé, madame la comtesse », dit-il en s'arrêtant dans l'embrasure de la porte.

Elle saisit la poignée, mais ne l'actionna pas. Elle le regarda en souriant. « Si tu veux savoir quels sont les livres qui ont une réelle valeur, Guido, dit-elle en l'appelant par son prénom et en recourant au "tu" familier qu'elle lui avait refusé pendant toute la conversation, va te pròmener du côté du rio terà Secondo. » Il leva les sourcils, mais ne dit mot. « Tu verras le bâtiment où se trouvait la presse d'imprimerie de Manuce. Inutile de te dire que c'est la plus importante de toute l'histoire du monde occidental. Il y a deux plaques sur le mur de l'édifice. L'une désigne le site de la presse aldine, "qui rendit aux peuples civilisés la splendeur de la littérature grecque". Elle a été apposée par l'École de littérature grecque de Padoue. Au rez-de-chaussée, sur la droite, il y a un magasin abandonné et sur la gauche, il y a une boutique qui vend de la pacotille aux touristes. Le jour où je l'ai découverte, je me suis renseignée auprès de quatre magasins dans les alentours, mais personne ne savait qui était Manuce.

– Comment l'avez-vous trouvée ?

– J'ai appelé une amie et lui ai demandé de la localiser. Elle est allée sur Wikipédia et m'a rappelée. C'est à San Polo, numéro 2310. »

Elle lui tendit la main et il se pencha de nouveau pour y déposer un baiser éthéré. Oh, si seulement sa mère pouvait voir aujourd'hui son fils en train d'embrasser la main d'une comtesse. Son palais n'était pas sur le Grand Canal, mais Brunetti était certain que sa mère n'y prêterait pas la moindre importance : c'était toujours un palais, et la femme qui avait offert la main à ses lèvres était toujours une comtesse.

11

Brunetti et Paola étaient seuls à déjeuner : il y avait au menu, ce jour-là, un plat de lasagnes garnies d'une sauce aux aubergines. Chiara était en excursion scolaire à Padoue et Raffi était allé faire un tour en bateau avec un ami. « Il va attraper la mort, s'inquiéta Paola. Des heures entières dans la lagune, sur un bateau tout ouvert. Qu'est-ce qui va se passer, s'il se met à pleuvoir ? »

Brunetti regarda par la fenêtre de la cuisine et vit un ciel d'un tel bleu qu'il aurait pu être découpé dans la mante de la Vierge. Il avait mis les pieds sur le balcon avant leur déjeuner et avait été assourdi par le gazouillis des oiseaux dans les pins de la cour d'en face. Le printemps s'était hissé au sommet d'un cheval lancé à bride abattue et rien ne pourrait en empêcher l'avancée. *Encore deux mois, et tout le monde se plaindra qu'il fait trop chaud*, songea-t-il.

« Je comprends ce que tu veux dire pour la comtesse », dit-il à Paola, en faisant fi de ses remarques.

Comme il y avait des chances que ces propos tournent aux ragots, Paola bannit toute préoccupation pour son aîné et demanda : « Qu'est-ce que j'aurais dit ?

– Qu'elle est d'une incroyable finesse en société, ou lorsqu'il s'agit de dissimuler son opinion.

– Oh, ça, répliqua-t-elle. Oui, elle peut être franche, mais c'était la chouchoute de ses parents et elle était traitée comme une princesse – alors qu'elle n'était que vicomtesse –, donc je suppose que c'est compréhensible.

– Pardonnable ?

– Pour l'amour du ciel, non, rétorqua-t-elle aussitôt. Il est plus important de comprendre les gens que de les pardonner. »

Brunetti se demanda si sa femme venait juste de découvrir pourquoi Freud avait remplacé Jésus-Christ, mais il renonça à lui poser la question, préférant se concentrer sur la comtesse.

« Elle ne porte pas les collectionneurs dans son cœur, avança-t-il.

– C'est un bon point pour elle », déclara Paola, soudain émoustillée.

Ils étaient sur le canapé de son bureau, égayé par le retour du soleil. Plutôt que de boire du vin à midi, ils avaient préféré tous deux prendre un café. Paola sirota le sien, tourna le restant de sucre et vida sa tasse.

Se remémorant sa conversation avec la comtesse Morosini-Albani, Brunetti expliqua : « Elle fait une distinction entre les gens comme elle, qui comprennent et aiment les belles choses, et les gens qui veulent simplement en accrocher aux murs. » Malgré ses efforts pour tempérer ses mots, son malaise demeurait audible, même à ses propres oreilles.

Paola posa sa tasse sans faire de bruit et se tourna vers lui. « Si je faisais une distinction entre ta manière attentive de lire l'histoire romaine et la manière dont un journaliste établit un parallèle entre la cour de l'empereur Héliogabale et la situation actuelle de Rome, sans rien savoir sur Héliogabale, est-ce que tu qualifierais cette distinction de spécieuse ? » Elle s'exprimait d'une voix douce, mais Brunetti entendait la queue du serpent siffler dans les broussailles, prêt à attaquer. « Ou si, en appliquant le raisonnement à ma sacro-sainte profession, je disais que ma lecture du *Portrait de femme* est plus nuancée que celle d'un film hollywoodien, *est-ce là* une distinction spécieuse ? »

Il baissa la tête et observa le fond de sa tasse, puis la posa sur la soucoupe près de celle de sa femme. « Je suppose que cela dépend à quel point tu laisses transparaître ton mépris pour Hollywood.

– Tout mépris pour Hollywood devrait être aussi transparent que possible. » Sur ce, elle lui fit un sourire lumineux et ajouta : « Tu sais bien qu'elle est snob. Nous le sommes tous. Mais elle a de quoi l'être.

– Peut-être », lança Brunetti, lui montrant bien que c'était une concession, et non pas une approbation. Il jeta un coup d'œil à sa montre, vit qu'il avait encore une demi-heure devant lui avant de retourner travailler et demanda à Paola, qui lisait de tout et réfléchissait à ce qu'elle lisait : « Est-ce que tu as déjà lu de la science-fiction ?

– Henry James n'en a pas écrit beaucoup, répondit-elle avec un éclat de rire.

– Je suis sérieux.

– Oui. J'en ai lu. Mais je n'en lis plus.

– Tu as lu ce roman où on brûle les livres ? »

Si elle l'avait lu, il savait qu'il serait là, rangé quelque part.

« Non, pas que je me souvienne. Tu peux m'en dire plus ?

– Le titre m'échappe, mais il parle d'un monde où les livres ont été mis hors la loi par l'État et où les pompiers – et ça c'est très fin – brûlent tous les livres qui leur tombent sous la main. Si on te trouve avec un livre, on te tue.

– Je suis sûre que mes étudiants voudraient tous y aller, lui dit Paola, d'un air impassible.

– Ils ne s'y plairaient pas, parce qu'il y a des gens qui apprennent par cœur des livres entiers : ils *deviennent* le livre. C'est la seule manière de les sauver. »

Elle se tourna et le regarda droit dans les yeux. « Qu'est-ce qui t'y a fait penser ? »

Il haussa les épaules et jeta un coup d'œil sur la table devant eux, couverte de livres, à tous les stades de la lecture : cornés, encore sous cellophane ; ouverts et posés à l'envers ; collés l'un contre l'autre, pour rester tous deux ouverts à la bonne page ; ou encore complètement ouverts, avec les mots contemplant le plafond. « J'aurais dû le mentionner à la comtesse. » Mais il douta que la comtesse fût une adepte du genre et qu'elle trouvât sa référence bien pertinente.

« Si tu te débarrasses de tous les livres, tu te débarrasses de toute la mémoire, asséna-t-il.

– Et de la culture, de l'éthique, de la variété dans la pensée, de toute remise en question de tes convictions », renchérit Paola, comme si elle était en train de pointer une liste. Puis, comme Brunetti ne répondait pas, elle réitéra sa question : « À quoi penses-tu ?

– À une remarque qu'elle a faite. C'est comme si elle pensait que la beauté des livres est aussi importante que le texte.

– Il y a des gens pour qui ça l'est. Sinon, ils ne les voleraient pas, j'imagine. » Puis au bout d'un moment de réflexion, elle ajouta, en guise de concession : « L'objet physique peut révéler beaucoup de choses sur la culture et revêt une importance historique. Pense un peu à tous ces livres d'histoire naturelle, pleins de fausses informations, mais de dessins parfaits.

– Nous étions en désaccord sur ce point.

– Tu as voté pour le texte, j'espère, lui dit-elle en se tournant vers lui.

– Bien sûr.

– Bien. Ce serait trop compliqué de divorcer. »

Brunetti maugréa et secoua la tête. « Qu'est-ce que tu es bête. »

Elle marqua une longue pause, puis reprit : « Il y a une chose que tu m'as dite et qui continue à me chiffonner.

– Quoi donc ?

– Qu'il est parti à la cloche de bois.

– Pardon ?

– Que ce Nickerson a quitté la bibliothèque à la hâte, en laissant les livres sur la table. » Les rayons du soleil frôlaient à présent le plancher et effleuraient la plante des pieds de Paola, qui les avait étendus sous la table basse devant le canapé. Elle glissa un peu plus bas et étendit les pieds plus loin, en les remuant dans la flaque de lumière. « Oh, ça fait du bien, soupira-t-elle.

– Cette sensation de chaleur ?

– Oui, mais pas physique », spécifia-t-elle. Puis, revenant à ses moutons : « Pourquoi est-ce qu'il a fait ça ?

– Il a vu que quelqu'un l'observait, expliqua Brunetti, se souvenant de Tertullien.

– Ou peut-être que quelqu'un l'a prévenu.

– Comment ?

– Les gens peuvent garder leurs portables à l'intérieur de la bibliothèque, n'est-ce pas ?

– Je présume que oui. Les gens les emmènent partout.

– Donc il a pu recevoir un coup de fil, ou un SMS.

– Ce qui implique un complice, ajouta Brunetti.

– Le fait qu'il ait réussi à obtenir un faux passeport américain laisse supposer une organisation plus sophistiquée qu'une petite troupe locale de boy-scouts qui a mal tourné, rétorqua-t-elle, mais elle émoussa sa remarque par un sourire et conclut : Nous sommes d'accord sur l'idée que quelque chose lui a fait peur. »

Brunetti s'abandonna à la douce étreinte du canapé. Il ferma les yeux et essaya de se remémorer ce que Sartor lui avait dit sur cet Américain : l'enthousiasme que Nickerson portait aux livres qu'il lisait était tellement communicatif qu'il s'était mis lui aussi à lire ce volume de Cortés.

Brunetti sortit son portable et appela la signorina Elettra à son bureau, en espérant qu'elle y soit.

Elle décrocha à la seconde sonnerie. « Oui, dottore ?

– J'ai un service à vous demander. Pouvez-vous jeter un coup d'œil au catalogue de la Merula et voir combien ils ont d'exemplaires du livre de Hernán Cortés ? Il s'intitule *Relación* ou quelque chose comme ça.

– Voulez-vous que je le fasse tout de suite, dottore ?

– Si cela ne vous dérange pas.

– Un moment, je vous prie. »

Il coinça son téléphone entre son épaule et son oreille et pencha la tête en arrière. Il entendit près de lui le bruit d'une page que l'on tourne : évidemment, Paola avait caché un texte sur elle, ou sous le coussin où elle était assise, et l'avait gardé là au cas où la vie la laisserait trois minutes sans rien avoir à lire. Il ne lui accorda aucun regard, se limitant à compter les pages qui défilaient.

À la quatrième, la signorina Elettra était de retour au bout du fil. « Leur catalogue dénombre un exemplaire de la *Segunda Carta de Relación*, imprimé à Séville en 1522, un exemplaire de la *Carta tercera*, même ville, un an plus tard, et un autre de la *Quarta relación*, de Gaspar de Avila, édité à Tolède, qui est en restauration. Il y a aussi une version qui a été imprimée ici en 1524 par Vercellese, et traduite en italien par Nicolò Liburnio. »

Elle laissa s'écouler un bon moment, puis s'informa : « Autre chose, dottore ?

– Non, merci signorina. Je vous applaudis et vous remercie.

– Je n'ai fait que mon devoir », répliqua-t-elle et elle raccrocha. Brunetti rit de bon cœur et éteignit son portable.

« Qu'est-ce qu'elle a dit ? demanda Paola, en levant les yeux de son livre.

– Qu'elle n'avait fait que son devoir. » Il rit de nouveau. « C'est la secrétaire de Patta, pas la mienne, et pourtant elle passe sa vie à minimiser ce qu'elle fait pour moi. Et elle dit que c'est son devoir.

– Tu as un faible pour l'ironie », déclara Paola.

Il posa sa main sur le genou de sa femme et le secoua légèrement. « Pas toi, peut-être ? »

Brunetti, qui décida de faire un saut à la Biblioteca Merula en retournant à la questure, appela Vianello et lui demanda de le rejoindre sur le pont de l'Académie, pour avoir le temps de discuter avec lui en chemin. Il y alla à pied, afin de pouvoir jouir de la rare liberté de suivre des rues relativement vides. Dans deux mois, il serait impossible, à cette heure-ci, d'atteindre ce pont en traversant San Polo. Il se corrigea : ce serait possible, mais insupportable. *À quel moment ce tournant s'est-il produit ?* se demanda-t-il. *À quel moment la ville a-t-elle commencé à devenir désagréable pendant une si grande partie de l'année ?* Mais lorsqu'il descendit le pont qui mène sur le campo San Barnaba, où il vit trois femmes assises à une terrasse de café, les poussettes de leurs enfants à leurs côtés, les visages tendus vers le soleil pour bronzer tout en papotant, il cessa de ronchonner et se sentit submergé par une vague d'euphorie.

À l'Académie, il aperçut Vianello derrière le kiosque à journaux ; il regardait le propriétaire en train de faire une partie d'échecs avec un ami. Brunetti s'approcha et lui dit : « Je ne savais pas que tu y jouais.

– À vrai dire, je n'y joue pas. Je sais comment déplacer les pions et tout le reste, mais la tactique ou la stratégie, ce n'est pas mon fort. »

Brunetti s'abstint de tout commentaire. Qu'un si fin prédateur ne soit pas conscient de son talent le surprit, mais peut-être que poursuivre des criminels n'a rien à voir avec la capture des tours et des fous.

Ils se mirent en route et s'éloignèrent de l'eau. « Je veux aller parler au gardien de la bibliothèque. J'aimerais que tu viennes avec moi et que tu me dises ce que tu penses de lui.

– De quoi vas-tu lui parler ?

– Il m'a donné des infos, quand je lui ai parlé, mais je veux en savoir davantage.

– Comme quoi ?

– Je préfère que tu l'entendes de sa bouche. »

Vianello lui demanda, en le regardant dans les yeux :

« Tu le soupçonnes de quelque chose ?

– Non, ce n'est pas ça. Il a l'air d'être honnête.

– Mais on ne sait jamais ? suggéra l'inspecteur.

– Exactement. »

Arrivé à la bibliothèque, Brunetti se rendit au bureau d'accueil du premier étage et dit au même jeune homme qu'il souhaitait s'entretenir avec M. Sartor. Il vit le visage de l'employé en proie aux plus vives émotions, où la curiosité se mêlait à l'inquiétude et à la crainte.

« Je vais le chercher », dit-il en se levant de sa chaise.

Quelques minutes plus tard, les deux hommes parurent dans l'embrasure de la porte donnant accès à la collection des livres modernes. Sartor reconnut Brunetti et vint à sa rencontre en lui tendant la main, mais à la vue de l'homme qui se tenait à ses côtés, il la laissa retomber. « Bonjour, commissaire, parvint-il à dire, en regardant les deux hommes tour à tour.

– Monsieur Sartor, dit Brunetti, je vous présente mon collègue, l'inspecteur Vianello. »

Sartor leur serra la main, sans un mot.

« Je voudrais que vous m'accordiez quelques minutes », commença Brunetti. Puis, jetant un coup d'œil circulaire, il s'adressa à la fois à Sartor et au jeune homme. « Y a-t-il un endroit où nous puissions discuter ? »

Sartor regarda son collègue sans rien dire.

« Vous pourriez aller dans la salle du personnel, Piero, proposa le jeune homme.

– Ah oui, approuva Sartor au bout d'un moment, bien sûr. » Il gagna la porte qui ouvrait sur l'escalier, invitant Brunetti et Vianello à le suivre. Cette fois, il descendit. Parvenus à la cour, ils la longèrent sur un côté et tournèrent à gauche, pour passer la porte qui se trouvait tout au bout. Brunetti ne comprit pas pourquoi il ne leur avait pas fait traverser la cour en diagonale, mais sans doute était-il interdit de piétiner l'herbe fraîche. Il ne comprit pas non plus pourquoi Sartor faisait des mouvements soudains et maladroits en marchant, comme s'il avait des crampes dans une jambe, mais il comprit ensuite que c'était pour éviter les jointures entre les pierres. Ils passèrent sous un grand lilas en fleur, détail qui frappa Brunetti, et ils s'arrêtèrent au pied des marches qui conduisaient vers une porte en bois, dotée d'une fenêtre à double vitrage.

Lorsque Sartor sortit de sa poche son trousseau de clefs, il en tomba de nombreux petits cartons rectangulaires de couleurs vives, qui s'éparpillèrent par terre. Vianello se pencha rapidement pour en ramasser trois ou quatre. « Ah, *gratta e vinci*[1] ! » s'exclama-t-il. Il sourit en disant : « Ma femme en achète une fois par semaine. Le plus qu'elle ait gagné, c'est 50 euros, mais je préfère ne pas imaginer ce qu'elle a dépensé avant. »

Sartor se hâta de ramasser le reste des cartons et prit ceux que Vianello lui tendait, puis les fixa comme si c'était une main de poker et qu'il devait décider de la mise. Il finit par dire : « Je les achète pour la mienne, aussi. Mais elle n'a jamais rien gagné. » Il haussa les épaules à ces mots. « Les jeux de hasard, c'est pour les idiots, *roba da donne*[2] », marmonna-t-il pour exprimer sa désapprobation à l'égard de cette faiblesse féminine et il les fourra dans la poche de sa veste. Il

1. Littéralement « Gratte et gagne », l'équivalent des grilles-flash au loto.
2. Une affaire de femmes.

gravit les marches et ouvrit la porte. « C'est ici que nous nous changeons, ou que nous faisons nos pauses quand nous en avons envie. » Il recula pour les laisser entrer.

Brunetti apprécia de se retrouver dans une grande pièce, bien chauffée et très accueillante. Il y avait un évier, un réfrigérateur et même un petit four ; tout était impeccablement propre. Les deux fenêtres à l'arrière, donnant sur un canal, éclairaient la pièce aux murs blancs, tout comme la fenêtre percée dans la porte, que Sartor referma derrière eux.

« Tout a été réhaussé au moment des restaurations, de manière à ce que l'*acqua alta* ne rentre pas, dit le gardien en tirant deux chaises de sous la table en bois, puis une troisième. Tant qu'elle ne dépasse pas cent quarante centimètres, en fait. » Les murs immaculés en étaient la preuve.

Un des côtés de la pièce était tapissé d'une rangée de casiers en métal, dotés de cadenas ; sur le mur opposé étaient accrochés un manteau et quelques vestes. À l'autre bout, quelques fauteuils usés, mais non moins confortables pour autant, étaient disposés en cercle entre les fenêtres.

« Je peux vous faire un café, si vous voulez », dit Sartor en jouant le maître de maison ; il entrait et sortait sa main nerveusement de sa poche, pour s'assurer que ses cartons étaient bien toujours là.

Brunetti mentit ; il lui dit qu'ils venaient d'en boire un et prit une des chaises ; Vianello en fit de même. Tous trois s'assirent.

« Lorsque nous avons discuté il y a deux jours, signor Sartor, commença Brunetti sans préambule, vous m'avez dit que le docteur Nickerson vous avait tellement parlé en bien du livre qu'il était en train de consulter pour sa recherche que vous l'avez lu. »

Sartor regarda les deux hommes, comme si avoir lu un des livres de la bibliothèque pouvait être à leurs yeux un acte répréhensible. Il finit par opiner du chef. « Oui, effectivement.

– Pouvez-vous me redire de quel livre il s'agissait ? »

Le visage de Sartor trahissait nettement une confusion croissante. « Mais je vous l'ai dit, monsieur, c'était Cortés.

– En italien ?

– Bien sûr. C'est la seule langue que je connaisse.

– Était-ce un volume en soi, ou faisait-il partie d'un ensemble ?

– C'était un volume en soi, monsieur, celui que j'ai trouvé sur la table du docteur Nickerson l'autre jour. » Il accompagna ses mots d'un signe d'assentiment très marqué. « Le même livre.

– En êtes-vous sûr ? » insista Brunetti.

Comme s'il cherchait où était le piège, Sartor regarda Vianello du coin de l'œil ; ce dernier suivait la conversation sans mot dire, mais avec un intérêt non dissimulé. « Oui, j'en suis sûr. C'était bien le même livre. Je le sais parce qu'il avait une tache sur la couverture, en haut, à l'angle droit. Ce devait être de l'encre, mais c'était une très vieille tache.

– Je vois, fit Brunetti. Merci. »

Sartor se détendit très clairement. « Pourriez-vous me dire de quoi il retourne, monsieur ?

– Laissez-moi vous poser une autre question », répliqua Brunetti.

Sartor hocha la tête, en tapotant la poche avec ses petits cartons.

« Avez-vous vu entrer le docteur Nickerson, ce matin-là ?

– Oui.

– Est-ce que vous faites habituellement la tournée du matin ?

– Comme maintenant, monsieur ; j'assure les deux premières heures, chaque jour. Cela a été le cas ces deux derniers mois.

– Pour quelle raison ?

– Manuela – c'est l'employée qui traite habituellement les demandes – va avoir un enfant et n'arrive pas avant 11 heures. Donc la dottoressa Fabbiani m'a demandé de couvrir ces deux heures. » Il sourit et ajouta : « Manuela ne veut pas nous dire si c'est un garçon ou une fille, mais je parie ma paye que c'est un garçon. »

Brunetti ignora cette remarque quelque peu étonnante venant de la part d'un homme qui se moquait des jeux de hasard et poursuivit : « Êtes-vous resté à ce bureau tout le temps que le docteur Nickerson a passé dans la bibliothèque, ce jour-là ?

– Oui, monsieur.

– Je vois. Et lui parliez-vous tous les matins ?

– Oh non, seulement s'il n'y avait personne d'autre, ou si les coursiers mettaient beaucoup de temps à apporter les livres. » Brunetti se remémora de nouveau ses journées d'étudiant et soupçonna les deux hommes d'avoir eu largement le temps de discuter.

« De quels sujets parliez-vous ? demanda-t-il incidemment, comme pour retarder les questions essentielles.

– De la pêche, par exemple.

– La pêche ? s'étonna Brunetti.

– Je ne me souviens plus exactement comment ça a commencé, mais un jour où nous parlions du temps qu'il faisait, je lui ai dit à quel point j'étais impatient que la saison rouvre. » Sartor regarda Vianello, comme pour lui demander s'il pouvait le comprendre sur ce point. L'inspecteur sourit et opina du chef.

« Est-ce qu'il allait à la pêche ? s'enquit Brunetti.

– Oui. Mais pas en mer, cela dit. Il m'a raconté que là où il vivait, il n'y avait que des lacs, mais que certains étaient très grands.

– D'autres éléments ?

– Pas grand-chose, en fait, juste ces choses dont on parle quand on a du temps à tuer.

– Vous m'avez dit que c'était son enthousiasme qui vous a fait lire le Cortés ? » reprit Brunetti, avec ce sourire de complicité entre lecteurs.

Sartor le regarda longuement, puis tourna les yeux vers Vianello et finit par répondre. « Quand je lui ai demandé, par politesse, sur quoi il travaillait, il m'a répondu qu'il était en train de lire les voyageurs européens des XVe et XVIe siècle. Je lui ai dit que le seul livre que j'aie lu – parce qu'il était au programme à l'école – c'était celui de Marco Polo et il m'a confirmé que ce livre était excellent, puis il en a cité quelques autres, qui étaient à son avis tout aussi intéressants. »

Sartor recula sa chaise et croisa les jambes. Apparemment, la présence de Vianello l'avait suffisamment calmé pour qu'il ose demander : « Êtes-vous sûrs que vous voulez entendre tout cela ?

– Oui », lui assura Brunetti.

Sartor soupira et croisa les bras. « Quand il m'a donné les noms des explorateurs qui l'intéressaient, le seul que j'aie reconnu était Cortés. Je voulais y jeter un coup d'œil et… le surprendre en lui disant que j'étais en train de le lire. » Il marqua une pause en les regar-

160

dant tous deux, sans doute gêné d'avouer qu'il avait souhaité impressionner le professeur étranger.

« Et alors ?

– Alors j'ai lu une partie du premier volume, comme je vous l'ai dit. Et l'autre jour, lorsque le docteur Nickerson est arrivé, je lui ai dit à quel point j'avais aimé Cortés.

– Est-ce que ça lui a fait plaisir ? » s'informa Brunetti d'un ton affable. Comme Sartor ne répondit pas, il reformula sa question : « Est-ce qu'il a dit quelque chose quand vous lui en avez fait part ? »

Sartor détourna le regard, comme s'il se sentait soudain déstabilisé au souvenir de cette conversation. « C'est bizarre », murmura-t-il.

Brunetti restait aussi tranquille qu'un lézard sur son caillou. Il se contenta de hocher légèrement la tête.

« Au début, il a eu l'air surpris. Puis il m'a dit qu'il était content que j'aie aimé le livre et il est monté dans la salle de lecture.

– Lui avez-vous dit autre chose ?

– Juste à quel point j'avais hâte de passer au tome suivant. »

12

Brunetti sourit et se leva. Avant de l'imiter, Sartor regarda Brunetti puis Vianello plusieurs fois, à l'affût de signes pour la suite des événements. Brunetti se pencha par-dessus la table et lui serra la main : « Vous nous avez beaucoup aidés, signor Sartor. » Il essaya de rendre sa voix la plus rassurante possible.

Le gardien esquissa un sourire. Il remit sa chaise en place et se dirigea vers la porte.

Comme si l'idée venait juste de lui traverser l'esprit, Brunetti demanda à Sartor, au moment où il ouvrait la porte : « Vous avez dit que le docteur Nickerson parlait très bien italien. Avez-vous songé qu'il puisse être véritablement italien ? »

Sartor les laissa passer devant lui et descendre dans la cour, puis il se tourna pour fermer la porte à clef. Il garda sa main sur la clef un bon moment avant de la remettre dans sa poche. Arrivé en bas, il s'arrêta devant Brunetti. « Je n'y avais jamais pensé, mais ce pourrait être possible. Il a dit qu'il était américain mais qu'il était allé à l'école à Rome quand il était enfant. Pour moi, c'était ce qui expliquait qu'il ait aussi peu d'accent. » Il resta silencieux un moment, puis se mit à traverser la cour, s'arrêta et se tourna vers eux. « Peut-être que je l'entendais parce que je me disais qu'il devait en avoir un. Est-ce possible ?»

Vianello prit la parole pour la première fois : « Les témoins oculaires se souviennent souvent d'avoir vu des choses qui ne se sont pas passées et des gens qui n'étaient pas là.

– C'est fou, non ?» demanda Sartor sans s'adresser à l'un d'eux en particulier.

Il alla vers la porte donnant sur la *calle*, mais Brunetti l'arrêta : « J'aimerais m'entretenir avec la dottoressa Fabbiani.

– Bien sûr, bien sûr », répliqua Sartor qui revint en arrière pour prendre l'escalier principal. Au sommet, Brunetti remarqua que la pancarte annonçant des « problèmes techniques » était encore collée à la porte. Sartor l'ouvrit, puis la ferma à clef derrière eux. « Si vous voulez bien attendre ici, je vais lui dire que vous souhaitez la voir. » Et sur ces mots, il se rendit vers ce qui devait être, pour Brunetti, l'arrière du bâtiment.

« C'est possible, n'est-ce pas, qu'il ait imaginé son accent ? s'informa Vianello.

– Les gens peuvent faire des choses encore plus bizarres », rétorqua Brunetti.

Il alla vers le comptoir et regarda les papiers dans la corbeille de la correspondance. Il lut les premières pages : une demande pour un prêt interbibliothécaire, une liste de livres proposés pour une vente aux enchères imminente à Rome et une lettre demandant s'il était possible de travailler à la bibliothèque en qualité de stagiaire non rémunéré.

Comme il entendit des bruits de pas, il s'éloigna du comptoir et s'assit dans un des fauteuils. Vianello en fit autant, se pencha en arrière et croisa les jambes.

La porte s'ouvrit et la dottoressa Fabbiani entra. Sartor, qui la suivait de près, lui tint la porte.

« Merci, dit-elle, avant d'ajouter avec un sourire : Tu peux retourner t'occuper du projet pour la Formule 1. » Sartor partit en fermant la porte derrière lui.

Même si cela ne le regardait pas, Brunetti s'enquit, en se levant : « Formule 1 ? »

Elle sourit. « Piero en est fou, comme de tous les sports d'ailleurs. Je ne sais pas comment fait sa femme : il passe sa vie à faire des paris et à gagner. » Puis, à la vue de Vianello, elle se tut.

« Voici mon collègue, l'inspecteur Vianello », dit Brunetti.

L'heure n'était plus au badinage. Elle suggéra donc d'aller dans son bureau. Elle les guida si rapidement au milieu de toutes les rangées de livres que Brunetti perdit totalement le sens de l'orientation. Au bout d'un moment, elle ouvrit une porte à la fin d'un long couloir tapissé d'étagères en bois et les invita à entrer dans son bureau. Sur sa table se trouvaient un ordinateur, un téléphone et une chemise en papier kraft. Il n'y avait aucun autre document en évidence, ni même un stylo, un crayon ou une agrafe. La surface de son bureau était une plaque de verre noir, sans la moindre tache.

Quatre murs avec quatre gravures des *Prisons* de Piranèse, qu'il reconnut, tristes et sans vie, malgré leur qualité artistique ; un parquet en pointe de diamant et deux fenêtres donnant sur la Giudecca. Elle s'assit sur une chaise à dossier droit et leur fit signe qu'ils pouvaient prendre place près d'elle.

« En quoi puis-je vous aider, commissaire ? commença-t-elle.

– Je suis curieux de connaître la perte financière pour la bibliothèque et je me demandais si vous aviez eu le temps de l'évaluer. »

Elle observa une des ruines de Piranèse avant de répondre. « Le Montalboddo a été vendu aux enchères il y a quelques mois pour 215 000 euros. Quant au Ramusio, nous n'avions qu'un volume sur les trois, mais c'était une première édition.

– En quoi cela joue-t-il sur le prix ?

– Même si c'était le deuxième volume, étrangement, il avait été imprimé en dernier.

– Je suis désolée, dottoressa, mais je ne saisis pas bien.

– Ah oui, bien sûr, répliqua-t-elle en se passant la main droite dans les cheveux. Une des hypothèses peut être que le voleur ait été missionné pour le procurer à quelqu'un qui en avait besoin pour compléter sa trilogie. » Comme Brunetti et Vianello ne soufflaient mot, elle poursuivit : « Si c'est le cas, il ou elle possède maintenant les trois volumes et leur valeur totale est bien supérieure au prix des trois volumes pris séparément. » Tous deux firent un signe d'assentiment.

« Excusez-moi, dottoressa, la coupa Vianello, comme s'il ne pouvait réprimer sa curiosité, mais en quoi cela joue-t-il sur la valeur de votre trilogie à vous ? »

Elle le regarda d'un air surpris ; sans doute ne concevait-elle pas qu'un inspecteur puisse être doué de la faculté de penser. « Le prix s'effondre complète- ment », rétorqua-t-elle. Puis, aussitôt après, avec un sourire empreint de lassitude, elle rectifia : « Non, j'exagère. Cela baisse énormément son prix. Mais la question n'est pas là.

« – Bien sûr que non, approuva Vianello, le regard plein d'empathie. Vous êtes une bibliothèque, pas une librairie. »

La dottoressa se fit plus attentive et confirma. « Vous avez raison : nous n'en sommes pas une. La perte financière n'est pas ce qui importe le plus à l'institution. » Et elle retourna à son Piranèse.

« Comment peut-on réussir à voler des livres dans une bibliothèque ? » s'enquit Vianello, d'un ton fort préoccupé.

Elle se passa de nouveau la main dans les cheveux. « Je ne sais pas. Il y a toujours quelqu'un aux différents postes, que ce soit pour les collections de livres modernes ou les collections de livres rares, et on vérifie les sacs des gens quand ils sortent. » Brunetti se demanda à quel point ces contrôles étaient rigoureux, surtout vis-à-vis d'une personne avec laquelle vous avez discuté de votre passion commune pour la pêche.

« C'est tout ? s'informa Brunetti.

– Nous avons aussi un système d'étiquetage », précisa-t-elle. Face à leur incompréhension, elle continua. « C'est un système de puces. On les met dans le dos de tous les volumes, tout au moins de ceux qui sont ici en haut, et un capteur – du genre de ceux que vous avez dans les aéroports – détecte si vous essayez de sortir un livre sans en avoir enregistré le prêt. »

Brunetti n'avait rien vu de tel sur aucun des bureaux des différents étages : « Est-il installé ? »

Elle ferma les yeux et inspira profondément. « Nous l'avons commandé il y a six mois, c'est-à-dire au moment où nous avons commencé à mettre les puces. » Elle ouvrit les yeux et regarda Brunetti.

« Mais ? s'empressa-t-il de lui demander.

« – L'appareil qui nous a été livré avait été conçu pour des puces adaptées à un autre type de programme. Ou tout au moins, c'est ce qu'on nous a dit.

– Que s'est-il passé ?

– La société l'a repris, mais ils ne nous ont toujours pas livré le nouveau.

– Vous ont-ils dit quand ils le livreront ? » intervint Vianello.

D'une voix nouée et d'un ton sec, elle répondit que non.

Brunetti enchaîna. « Vous m'avez dit que vous avez huit mille livres ici, dottoressa. Dans combien d'entre eux placerez-vous une puce ?

– Dans tous ceux-ci, répondit-elle en faisant un geste circulaire de la main, pour désigner cet étage de la bibliothèque, et elle ajouta : Ainsi que dans les manuscrits.

– Combien de temps cette opération va-t-elle prendre, à votre avis ? »

Elle lui lança un regard perçant et demanda : « Quel rapport avec le vol, commissaire ?

– Je ne voudrais pas vous blesser, dottoressa, mais je songeais aux vols à venir. »

Le visage de la femme devint de glace. Brunetti se demanda si elle n'allait pas les congédier. Elle joignit les mains sur les genoux et commença à triturer un petit bout de cuticule sur son pouce gauche. Elle regarda Brunetti. « Cela s'est déjà passé. » Elle prit une longue inspiration et essaya de raffermir sa voix. Elle commença à parler, n'y parvint pas, fit une nouvelle tentative et finit par pouvoir affirmer : « Il y en a plus. »

Le silence se fit dans la pièce. Brunetti et Vianello ne bougèrent pas d'un iota. Il s'écoula plus d'une

minute avant que Brunetti ne finisse par demander :
« Plus de quoi, dottoressa ?

– Plus de livres.

– Qui manquent ? »

Elle baissa les yeux et serra son pouce très fort. Elle le relâcha assez vite et regarda Brunetti. « Oui. Je voulais être sûre que rien d'autre n'ait disparu ; j'ai donc pris les cent premières pages du catalogue et j'en ai imprimé une sur dix, puis j'ai vérifié si les livres de cette liste étaient sortis, ou figuraient encore sur les rayons.

– Cela en fait combien ? »

Brunetti la regarda prendre cette question en considération et vit à quel moment précis elle en saisit le sens. « Plus de cent quarante », répondit-elle.

Ne voyant aucune raison de perdre du temps, il lui demanda sans ambages : « Combien en manque-t-il ?

– Neuf. Et la situation s'aggrave, ajouta-t-elle d'une voix soudainement en proie à la colère. Mes collègues s'en plaignent partout, pas seulement dans ce pays. Plus rien n'est à l'abri, nulle part. » Brunetti la vit frotter ses mains jointes, l'une contre l'autre. Puis, d'un ton plus calme, elle avoua : « Je ne sais pas quoi faire. Nous ne pouvons pas empêcher les gens de venir. Les chercheurs ont besoin de ce que nous avons ici.

– Avez-vous fini d'établir la liste des livres que Nickerson a demandés ? s'enquit Brunetti.

– Oui.

– Combien de livres ont été… ? » Brunetti ne réussit pas à trouver le mot juste.

« Il en a vandalisé trente et un, rétorqua-t-elle, en recourant au terme approprié. En l'état actuel des choses.

– Et les pertes ? » Il espérait qu'elle comprendrait qu'il était en train d'estimer leur valeur financière et était certain qu'elle apprécierait qu'il ait eu la délicatesse de ne pas demander comment ce manège avait pu durer si longtemps sans être remarqué.

Elle secoua la tête, comme si elle se trouvait face à des gens incapables de comprendre une chose pourtant bien simple. « Les livres sont abîmés, tout au moins par rapport à nos critères. Ils pourraient avoir encore une partie de leur valeur – l'un d'entre eux est amputé d'une seule carte, ce qui a réduit sa valeur de moitié – mais ils ne sont plus ce qu'ils étaient et ceux auxquels il a arraché plusieurs pages ne valent pratiquement plus rien. » Persuadée qu'ils avaient enfin compris, elle alla à son bureau et revint avec une chemise. Elle l'ouvrit et tendit à Brunetti un jeu de documents et en garda un pour elle. Elle se rassit.

« Voici les livres qu'il a vandalisés et le prix de ceux que nous avons achetés. » Elle se pencha en avant et pointa la première colonne de chiffres. « Les autres sont des legs, donc tout ce que nous pouvons fournir, c'est leur dernier prix aux enchères. Nous n'avons pas eu le temps de le faire et je crains en outre de ne pas être en mesure d'évaluer combien ils pourraient être vendus aujourd'hui. » Puis, après un moment de réflexion, elle déclara : « Je ne sais pas si cela vaut la peine de chercher.

– Pour quelle raison ? demanda Brunetti.

– Nous n'aurons jamais assez d'argent pour les remplacer.

– Et l'assurance ? »

Elle eut un rire où l'amertume le disputait au dédain. « Nous n'en avons pas. Comme nous sommes une institution publique, le gouvernement est censé nous couvrir. Mais c'est peine perdue. Nous avons eu des dégâts des eaux après qu'un tuyau a éclaté il y a environ huit ans, et nous attendons toujours qu'ils envoient un inspecteur pour constater l'état des livres. Il n'y a aucun dédommagement en cas de donation. » Lisant leur étonnement sur leurs visages, elle expliqua : « Ils partent du principe que si nous n'avons pas déboursé d'argent, nous n'avons subi aucune perte. »

Elle leur laissa le temps d'assimiler ce qu'ils venaient d'entendre, puis elle se tourna vers Brunetti et indiqua les chiffres disposés dans une colonne, sur la droite. « Ce sont les derniers prix que les enchères ont attribués à deux des pages qui manquent. Ce sont les seuls prix que nous ayons pu trouver.

– Excusez-moi, dottoressa, intervint Vianello, est-ce que les gens collectionnent habituellement des pages isolées ?

– Oui.

– Donc les gens le *font*, purement et simplement ? » Vianello dut noter la confusion de la dottoressa, car il ajouta : « S'il existe des prix d'enchères pour ces pages, cela signifie que certains des livres ont déjà été… abîmés.

– C'est une pratique courante, confirma-t-elle d'un ton grave. Dès l'instant où une seule page a été arrachée, beaucoup de gens estiment qu'ils peuvent cannibaliser le livre entier et vendre les pages séparément. Jusqu'à ce qu'il n'en reste plus rien. Si c'est un bien privé, personne ne peut les empêcher de le faire. »

Brunetti rompit le silence qui se fit à ces mots en demandant : « L'avez-vous déjà rencontré ?

– Vous voulez dire, Nickerson ?

– Oui.

– Nous nous sommes parlé quelques fois, mais juste pour nous dire bonjour. » Elle rouvrit la chemise et en sortit une série de fiches. « Ce sont les formulaires qu'il a remplis pour ses demandes de livres. Nous les avons encore. »

Comme elle perçut l'hésitation de Brunetti, elle précisa : « Vos hommes ont pris les empreintes digitales de toutes ces fiches, donc vous pouvez les toucher. »

Brunetti regarda Vianello, qui hocha la tête.

Brunetti lui en tendit la moitié et commença à examiner la calligraphie sur chacune d'elles ; Vianello en fit autant. Une minute ne s'était pas écoulée qu'ils levèrent les yeux et leurs regards se croisèrent. « Il est italien, n'est-ce pas ? observa Vianello.

– C'est bien mon impression », approuva Brunetti.

Son téléphone sonna. Il le sortit et regarda le numéro. « Je vous prie de m'excuser » dit-il, et il se leva. Sans donner la moindre explication, il se dirigea vers la porte et retourna dans la pièce qui contenait les livres, en refermant derrière lui.

« Brunetti, se présenta-t-il.

– Je suis Dalla Lana, commissaire. » C'était une des nouvelles recrues.

« Oui ?

– Il y a eu une mort, monsieur, lui apprit-il, puis il ajouta, après une pause : Violente.

– Si tu parles d'un meurtre, Dalla Lana, dis-le clairement, d'accord ?

– Oui, monsieur. Je suis désolé, mais c'est le premier de ma vie et je ne savais pas si je pouvais employer ce mot.

– Dis-moi ce que tu sais.

– Un homme a appelé – il y a environ dix minutes – pour dire qu'il était dans l'appartement de son frère et que son frère avait été tué. Il a dit qu'il y avait beaucoup de sang.

– T'a-t-il donné son nom ? » Brunetti remarqua que Dalla Lana avait mis dix minutes à l'appeler. Dix minutes.

« Oui, monsieur. Enrico Franchini. Il habite à Padoue. »

Brunetti leva les yeux et regarda ces rangées sans fin de livres, survivants de vieux âges, témoins de tant de vies. « Est-ce qu'il t'a dit le nom de son frère ? lui demanda-t-il, d'une voix très froide.

– Non, monsieur. Tout ce qu'il a dit, c'est qu'il était mort et puis il s'est mis à pleurer.

– À Castello ? s'enquit Brunetti, mais ce n'était pas véritablement une question.

– Oui, monsieur. Le connaissez-vous ?

– Non. Est-ce que tu as envoyé quelqu'un ?

– J'ai essayé de vous trouver, monsieur. J'ai appelé votre bureau, mais vous n'y étiez pas. Personne n'a pu me donner le numéro de votre portable, mais après…

– Tu l'as maintenant. Appelle Bocchese et dis-lui d'aller là-bas avec une équipe. Est-ce que l'homme qui t'a appelé t'a donné son numéro de téléphone ?

– Non, monsieur. » Puis, d'une plus petite voix : « J'ai oublié de le lui demander. »

Brunetti vit que ses doigts étaient devenus tout blancs autour du téléphone. Il relâcha sa prise et lui expliqua : « Le téléphone qui est là, dans ton bureau, affiche les numéros que tu as appelés. Cherche le dernier et rappelle-le et s'il est encore dans l'appartement, dis-lui de le quitter et de sortir attendre la police. Il n'a pas besoin de sortir de l'immeuble, mais je veux qu'il sorte de l'appartement. C'est clair ?

– Oui, monsieur.

– Appelle Foa, sur son téléphone ou sur sa radio, et dis-lui d'arrêter ce qu'il est en train de faire et d'aller au bout de la Punta della Dogana[1]. J'y serai dans dix minutes.

– Et s'il ne peut pas, monsieur ?

– Il pourra. » Brunetti raccrocha.

Il ouvrit la porte et revint dans la pièce. « Je dois retourner à la questure, dottoressa », annonça-t-il en s'efforçant de se calmer. Elle semblait trouver cela naturel, mais Vianello se leva et se dirigea vers la porte.

« Merci pour le temps que vous m'avez accordé », lui dit Brunetti, et sans attendre sa réponse, il tourna les talons et sortit. Il commença à descendre l'escalier en pliant les papiers qu'elle lui avait donnés et les mit dans sa poche.

« Qu'est-ce qui ne va pas ? » lui demanda Vianello, qui se tenait une marche derrière lui.

Brunetti se dépêcha de gagner la cour, puis de sortir dans la rue. Il prit à gauche sur la *riva* en direction de la Punta della Dogana. « Franchini est mort. » Vianello trébucha, mais retrouva rapidement son équilibre.

« Son frère a appelé depuis son appartement et a dit qu'il était mort. Il y a beaucoup de sang.

– Est-ce qu'il a dit autre chose ?

– Je ne lui ai pas parlé. Il a appelé la questure, qui m'a appelé. »

Aveugles à tout ce qui les entourait, les deux hommes filaient droit devant eux. « Bocchese va arriver, avec une équipe. J'ai dit à Dalla Lana d'appeler son frère et de lui dire de sortir de l'appartement.

1. La pointe de la Douane.

« – Où est-ce qu'on va ? » demanda Vianello, comprenant tout à coup où ils étaient en train de foncer. L'extrémité de la rive débouchait forcément sur l'eau et il n'y avait pas d'arrêt de bateau à cet endroit. On ne pouvait que faire demi-tour pour revenir au vaporetto de la Salute, ou héler un taxi.

« J'ai dit à Foa qu'on se retrouverait ici. » Ils passèrent devant une femme qui se promenait avec ses deux chiens. Un des chiens se mit à leur courir après, en aboyant sauvagement, mais pour s'amuser, non pas pour les menacer. Brunetti se demanda comment il pouvait deviner cette nuance.

« Bassi, arrête ! » lui intima la femme. Le chien cessa de les suivre et fit demi-tour pour la rejoindre.

Lorsqu'ils parvinrent au triangle qui se déployait à la fin de l'île, Brunetti vit la vedette de la police amarrée à l'endroit convenu. « Foa ! » appela-t-il. Le pilote se déplaça sur le côté du bateau et lui tendit la main. Brunetti sauta à bord, suivi de Vianello ; Foa déroula ensuite la corde du taquet et mit les gaz. Il s'écarta de la rive et prit à gauche, pour retourner vers Castello.

Ils restèrent sur le pont, avec le pilote, comme si voir défiler les bâtiments ferait passer plus vite le trajet. Ni l'un ni l'autre ne parlaient, et Foa, captant leur état d'esprit, ne souffla mot non plus. Il ne fit pas hurler la sirène : le bruit, c'était pour les novices. Il préféra actionner le gyrophare et louvoya au milieu des bateaux, jusqu'à ce qu'ils pénètrent dans le canal de Sant'Elena. Il ralentit alors pour atteindre une vitesse plus modérée et se mit à serpenter entre les bateaux amarrés le long des canaux de plus en plus étroits de Castello. Devant eux, une grosse barge de transport bloquait le canal, mais un petit coup de sirène suffit à lui faire faire rapidement marche arrière.

Foa ralentit de nouveau en empruntant le rio di Sant'Ana et leur dit de rentrer leur tête en passant sous le pont. Il tourna à gauche, remonta le canal et s'arrêta derrière une autre vedette de la police qui avait accosté sur le quai droit. Il n'avait pas fini d'enrouler la corde que Brunetti et Vianello bondissaient sur la rive et s'apprêtaient à traverser le *campo*.

Ils virent un homme sur un banc, inconscient, visiblement, de ce qui se passait autour de lui. Il était affaissé, les jambes écartées, les yeux rivés au sol. Il tenait un mouchoir blanc dans sa main gauche ; il s'essuya les yeux et se moucha, puis rebaissa les yeux, les bras posés sur les cuisses. Brunetti voyait ses épaules monter et descendre, au rythme de ses sanglots. L'homme s'essuya les yeux de nouveau, mais ne les leva pas au bruit de leurs pas.

Brunetti entendit l'homme marmonner, puis se remettre à sangloter. Il serrait les poings et écrasait son mouchoir entre les doigts. Brunetti s'approcha du banc et s'arrêta à un mètre de lui. « Monsieur Franchini », dit-il d'une voix neutre. L'homme continuait à marmonner et s'essuya encore une fois les yeux.

Brunetti s'accroupit, pour pouvoir se mettre au niveau de ses yeux. « Monsieur Franchini », dit-il de nouveau, d'une voix cette fois un peu plus forte.

L'homme sursauta, regarda Brunetti, se redressa et s'adossa contre le banc. Brunetti leva une main, en tendant la paume vers lui. « Nous sommes de la police, monsieur. N'ayez pas peur. »

L'homme le regarda fixement, en silence. Il devait approcher de la soixantaine. Il était vêtu d'un costume en laine ; sa cravate était soigneusement nouée, comme s'il arrivait du bureau. Ses fins cheveux gris tombaient sur son front étroit. Il avait les yeux marron, gonflés à cause des larmes, et le nez long et fin.

« Monsieur Franchini ? » l'appela de nouveau Brunetti. Il commençait à avoir mal aux genoux ; il se pencha et plaqua une main au sol. Il veilla à se lever doucement, mais sentit quand même ses articulations protester.

« En quoi pouvons-nous vous aider ? » demanda-t-il en se tournant vers Vianello qui s'était arrêté quelques mètres plus loin et auquel il fit signe d'approcher. Vianello prit soin de s'avancer très lentement vers son supérieur et laissa suffisamment d'espace entre eux pour permettre à une tierce personne de s'y insérer.

« Qui êtes-vous ? » demanda l'homme. Il renifla, se moucha et laissa retomber ses mains sur les genoux.

« Je suis le commissaire Guido Brunetti et voici l'inspecteur Vianello. Nous venons d'apprendre la nouvelle au sujet de votre frère, c'est pourquoi nous sommes venus. » Il se tourna à moitié et indiqua les deux bateaux de police amarrés l'un derrière l'autre, comme pour lui prouver qu'il disait la vérité.

« L'avez-vous vu ? » s'enquit l'homme.

Brunetti secoua la tête. « Non, nous arrivons à l'instant.

– C'est terrible, vous savez.

– Êtes-vous son frère ? »

L'homme hocha la tête. « Oui, son jeune frère.

– Moi aussi, je suis le cadet de la famille.

– Ce n'est pas facile.

– Non, effectivement, confirma Brunetti.

– Ils ne sont jamais assez prudents. » Franchini arrêta de parler, surpris par ses propres mots, et leva son mouchoir des deux mains, pour s'essuyer les yeux. Il émit un sanglot furtif, avant de rebaisser les mains.

« Puis-je m'asseoir ? demanda Brunetti. À cause de mes genoux...

– Je vous en prie », répondit Franchini en se poussant sur la gauche pour lui faire de la place.

Brunetti s'assit avec un soupir et étendit ses jambes devant lui. Il fit un mouvement de la tête et Vianello se dirigea vers la maison. L'autre homme ne prêtait pas attention à lui.

« Vous êtes venu de Padoue ? s'informa Brunetti, l'air de rien.

– Oui. Aldo et moi, nous nous appelons tous les mardis soir, et comme il ne m'a pas répondu hier soir, j'ai décidé de venir voir ce qui n'allait pas.

– Pourquoi avez-vous pensé que quelque chose n'allait pas ?

– Parce que nous nous sommes parlé chaque mardi soir, à 9 heures, pendant seize ans.

– Je vois », fit Brunetti. Il opina du chef pour signaler à Franchini qu'il avait pris la bonne décision. Il se tourna pour regarder l'homme dans les yeux, comme s'il s'agissait d'un échange informel, et vit que, malgré sa minceur, il avait un double menton qui détonnait dans son visage. Il remarqua aussi ses grandes oreilles.

« Êtes-vous venu cet après-midi ?

– Je travaillais aujourd'hui. Nous ne sortons pas avant 3 heures.

– Oh, et que faites-vous ?

– Je suis professeur. De latin et de grec. À Padoue.

– Je vois. C'étaient mes matières préférées.

– Vraiment ? lui demanda Franchini, incapable de cacher combien cela lui faisait plaisir.

– Oui, lui assura Brunetti. J'aimais leur rigueur, surtout pour le grec. Chaque chose était à sa place.

– Avez-vous continué à en faire ? »

Brunetti secoua la tête, le regrettant sincèrement. « Je suis devenu paresseux. Je lis encore ces auteurs, mais en italien.

– Ce n'est pas la même chose, répliqua Franchini, qui ajouta rapidement, comme s'il craignait d'avoir blessé un étudiant : Mais c'est bien que vous continuiez à les lire. »

Brunetti laissa passer un bon moment avant d'enchaîner : « Étiez-vous proches, votre frère et vous ? »

Après un plus long moment encore, Franchini dit « Oui ». Il fit une autre pause, puis ajouta : « Et non.

– Comme mon frère et moi, déclara Brunetti. En quoi étiez-vous proches ?

– Nous étudiions les mêmes choses. Toutefois, il préférait le latin.

– Et vous, le grec ? »

Franchini haussa les épaules en signe d'assentiment.

« Qu'est-ce qui vous rapprochait encore ? »

Il observa Franchini en train de plier son mouchoir en un carré bien précis, comme si l'apparente normalité de la conversation avait effacé son besoin de pleurer. « Nous avons été élevés en croyants. Nos parents étaient très religieux. »

Même si son père était un athée convaincu, Brunetti hocha la tête pour suggérer une autre expérience en commun.

« Aldo s'intéressait beaucoup plus à ces questions que moi. » Franchini regarda au loin. « Il suivit sa vocation et devint prêtre. » Il continuait à plier et replier son mouchoir, désormais réduit à la taille d'un paquet de cigarettes.

« Mais il a perdu la foi. Il m'a dit qu'il s'est levé un matin et qu'elle avait disparu, comme s'il l'avait mise quelque part avant d'aller se coucher et qu'au réveil, il n'arrivait plus à la retrouver.

– Qu'a-t-il fait alors ?

– Il est parti. Il a cessé d'être prêtre et a donc été licencié de son poste de professeur. Comme ce n'était pas légal, ils ont fait passer son départ pour un départ en retraite anticipée et ils lui ont versé une pension.

– Comment arrivait-il à vivre ici ? s'informa Brunetti, sachant que Franchini comprendrait qu'il faisait allusion à sa situation financière.

– L'appartement était à nos parents et ils nous l'ont laissé. C'est pourquoi il a déménagé ici et moi, je suis resté à Padoue.

– Votre famille est là-bas ?

– Oui, répondit-il, mais sans entrer dans les détails.

– Et vous l'appeliez tous les mardis ? »

Franchini fit un signe d'assentiment. « Aldo a changé lorsqu'il a perdu son travail : c'était comme s'il avait perdu tout ce qui était important pour lui. À l'exception du latin. Il passait son temps à lire.

– En latin ?

– Je l'ai aidé à trouver un endroit où il puisse lire. Il disait qu'il voulait lire les Pères de l'Église.

– Pour recouvrer la foi ? » s'enquit Brunetti.

Il entendit le tissu de la veste de Franchini frotter contre le dossier du banc lorsque ce dernier haussa les épaules. « Il ne me l'a pas dit. » Puis, sans laisser le temps à Brunetti de prendre la parole, il spécifia : « Et je ne le lui ai jamais demandé.

– Si bien qu'il consacrait sa vie à lire les Pères de l'Église, conclut Brunetti, sur un ton mi-affirmatif, mi-interrogatif.

– Oui. Et à cela », ajouta-t-il en levant la main qui ne tenait pas le mouchoir et en l'agitant vaguement en direction du bâtiment qui se dressait derrière eux.

13

Comme en écho aux propos de Franchini, ils entendirent une fenêtre s'ouvrir précisément dans ce bâtiment et une voix appeler : « Commissaire ! »

Brunetti se leva et se tourna en direction de la voix, fâché que sa paisible conversation avec Franchini soit interrompue de manière aussi abrupte. Un policier en uniforme était penché à la fenêtre et lui faisait des signes, comme s'il pensait que Brunetti ignorait qu'ils étaient dans l'appartement. Il leva la main et fit un geste circulaire, espérant que son collègue comprenne qu'il s'apprêtait à le rejoindre, ou en tout cas, qu'il ne tarderait pas à le faire.

Lorsqu'il revint à Franchini, il vit qu'il était de nouveau penché, regardant fixement par terre, les mains jointes et les bras posés sur ses cuisses. Il ne semblait pas conscient de la présence de Brunetti, qui sortit son téléphone et composa le numéro de Vianello. Lorsque l'inspecteur lui répondit, il lui dit : « Tu peux faire descendre quelqu'un, pour rester avec M. Franchini ? » et il raccrocha sans attendre sa réponse.

Quelques minutes plus tard, Brunetti fut soulagé de voir Pucetti sortir de la porte principale de l'immeuble.

Lorsque Pucetti arriva à proximité du banc, Brunetti se baissa vers Franchini et lui dit : « Monsieur, l'agent

Pucetti restera ici avec vous jusqu'à mon retour. »
Franchini le regarda, puis regarda Pucetti, qui s'inclina
légèrement. Franchini tourna de nouveau son regard
vers Brunetti, puis vers le sol. Brunetti tapota le bras
du jeune homme, sans rien dire.

Dans le couloir du troisième étage, il reconnut, près
d'une porte ouverte, un policier qui devait s'appeler,
de mémoire, Staffelli. Ce dernier salua Brunetti et serra
les lèvres en levant les sourcils, comme pour exprimer
aussi bien son étonnement face au comportement
humain, que sa résignation face à la manière dont se
passent les choses. Brunetti leva la main en réponse à
son salut, ou à toute autre tentative de message de sa
part. Mais aucune trace de Vianello.

Dans l'appartement, il vit également Bocchese, le
chef de l'équipe scientifique : il se tenait, avec sa
combinaison jetable et ses chaussures toutes blanches,
devant une porte ouverte et regardait à l'intérieur de la
pièce que sillonnait, par intermittence, la lumière d'un
flash.

« Bocchese ! » appela Brunetti.

Le technicien se tourna et le regarda, leva une main
en guise de salutation, puis pivota au moment où fusa
près de lui une autre série de flashes. Brunetti fit
quelques pas, mais fut arrêté par un sifflement de
Bocchese. Le technicien sortit de sa poche deux sachets
en plastique transparent. « Mets ça », lui dit-il en les lui
tendant.

Connaissant bien les règles de Bocchese, Brunetti
retourna dans le couloir. Il se tint à la rampe le
temps d'enfiler ses surchaussures, puis ses gants
blancs. Il donna les sachets vides à Staffelli et regagna l'appartement.

Comme Bocchese avait disparu de l'embrasure de la porte, Brunetti prit sa place. Des voix d'hommes, provenant d'autres points de l'appartement, parvenaient à ses oreilles, comme filtrées : l'une d'elles lui sembla celle de Vianello. Deux techniciens vêtus de blanc s'écartèrent du corps de l'homme, couché le long du mur, et transportèrent leur matériel photographique de l'autre côté de la pièce.

Alors voilà donc Tertullien, pensa-t-il, à la vue de cette forme étonnamment petite, étalée sur le sol. S'il n'y avait pas eu autant de sang, il aurait pu s'agir d'un ivrogne qui serait mort chez lui en cherchant à atteindre son lit ou qui, après avoir perdu l'équilibre et s'être affaissé par terre, se serait retrouvé la tête et une épaule bloquées contre le mur. Mais le mur derrière lui évoquait un tout autre scénario, avec trois empreintes successives d'une main droite, couverte de sang, comme si l'homme s'y était cramponné en tentant de se mettre debout. Mais la traînée que fit sa main, en glissant rapidement jusqu'en bas, les avait effacées, tel un coup de pinceau rouge donné au cœur d'un Shiraga.

L'homme mort était couché, une épaule coincée contre le mur, les bras écartés, la tête dans une position improbable, un genou replié sous l'autre jambe. Au moindre signe de vie, tout individu présent l'aurait instinctivement écarté du mur, par pure réaction animale, afin de libérer son cou et d'étirer son genou emprisonné. Mais un instant de réflexion aurait suffi à convaincre même le plus grand champion de l'optimisme qu'il n'y avait plus le moindre brin de vie dans cette chose inerte et amoindrie.

Brunetti avait observé ce phénomène plus souvent qu'il n'aurait voulu se le remémorer : comme si l'esprit, en quittant le corps, emportait avec lui une partie de la masse et de la substance et abandonnait derrière lui un être plus frêle que celui qu'il avait habité. Cet homme avait été jeune, avait été prêtre, avait été un croyant et un lecteur, et maintenant, il n'était plus qu'une forme entortillée, avec un visage zébré de sang et une veste pelotonnée sous ses épaules. La semelle de sa chaussure gauche, décollée, semblait sourire, laissant voir une chaussette gris foncé, qui révélait elle-même un fragment de sa peau blanchâtre de vieil homme.

Deux taches de sang séché obscurcissaient le parquet à un mètre du cadavre. L'une avait été foulée par un pas et il en partait trois empreintes partiellement rougies, provenant toutes du pied droit, et allant dans sa direction. Il n'y en avait pas de quatrième.

L'air fut soudain zébré par l'éclair d'un flash et Brunetti s'en protégea en levant instinctivement la main. Il se tourna vers les deux techniciens. « Qui est-ce qui vient ?

– Probablement Rizzardi, répondit le plus grand des deux, sans s'attarder sur les raisons de son incertitude.

– Quand êtes-vous arrivés ici ? »

L'homme releva la manche de sa combinaison blanche avec le bord de sa main gantée. « Il y a environ vingt minutes.

– D'autres éléments à noter ?

– Il était dans l'autre pièce, intervint le second, en poussant un peu sur la gauche le trépied qui soutenait leur appareil photo.

– Pourquoi dites-vous ça ? »

Il prit quelques photos. Brunetti, habitué maintenant à la lumière des flashes, ne se protégea pas les yeux cette fois. En déplaçant l'appareil photo un peu plus loin, le technicien lui suggéra, en indiquant la porte sur sa gauche : « Allez jeter un coup d'œil, commissaire. Vous verrez ce que je veux dire. »

Brunetti se dirigea vers cette porte et regarda à l'intérieur de la pièce, intrigué par la scène qu'il allait y découvrir. Dans un angle, il y avait un confortable fauteuil, recouvert d'un velours côtelé vert foncé avec, derrière, une lampe de lecture munie d'un abat-jour en verre blanc. Près du fauteuil se trouvaient une table ronde et une lampe de plus petite taille. Toutes les deux étaient allumées, et près de la lampe sur la table, il y avait un livre ouvert à l'envers, comme si la personne qui était en train de le lire avait été momentanément interrompue et l'avait placé là, le temps de répondre au téléphone ou d'aller ouvrir la porte. Derrière le fauteuil se déployait une ample bibliothèque, où toutes les étagères étaient remplies de livres.

Un jeu acoustique fit parvenir des voix d'hommes à ses oreilles ; il put y distinguer cette fois celles de Vianello et de Bocchese. « Vous allez prendre des empreintes dans toutes les pièces ? s'informa le premier.

– Bien sûr », répondit Bocchese, mais ils durent ensuite bouger, car leurs voix devinrent plus étouffées et moins distinctes.

Brunetti revint dans la première pièce ; le docteur Rizzardi se tenait près la porte. Ils s'échangèrent des salutations en silence. Grand, élancé, les cheveux plus grisonnants que lors de leur dernière rencontre, Rizzardi regarda Brunetti, mais ne put s'empêcher de tourner son attention vers le réceptacle brisé qui recelait autrefois la vie de Franchini.

Rizzardi chaussait déjà des bottillons en plastique et était en train d'enfiler son second gant sur la main gauche. Il se dirigea vers le cadavre et resta au-dessus de lui un moment ; Brunetti se demanda s'il était en train de réciter une prière, ou s'il lui souhaitait de partir en paix dans l'autre monde, mais il se souvint ensuite que Rizzardi lui avait dit une fois ne pas croire dans l'au-delà, après ce qu'il avait vu ici-bas.

Le médecin légiste mit un genou à terre et se pencha plus près de Franchini. Il prit son poignet. Animé d'une minutie quasi pathologique, Rizzardi vérifia son pouls. Brunetti détourna les yeux un instant, et lorsqu'il le regarda de nouveau, il le vit encore plus près de lui, en train de baisser l'épaule de Franchini vers le sol, où elle tomba sur un côté. Il essaya également de déplier sa jambe, sans y parvenir.

Rizzardi passa en position accroupie et s'approcha de la tête de la victime. Puis il s'agenouilla de nouveau et examina la nuque ; il la pencha, pour en avoir une meilleure vision. Il se leva ensuite et rejoignit Brunetti qui lui demanda :

« Qu'est-ce qui s'est passé ?

– Quelqu'un l'a frappé. Quelqu'un avec de grosses chaussures, ou des bottes.

– À la tête ?

– Oui, c'est ce qui l'a tué. Mais aussi au visage. Sa joue droite est coupée pratiquement sur toute la longueur et il a au moins quatre dents de cassées. Mais ce sont les coups portés derrière la tête qui l'ont achevé. » Il se tourna et reconstitua la scène. « Il a essayé de se mettre debout – Dieu seul sait comment – mais il n'a pas pu. Ou l'autre l'a flanqué par terre.

– Mais c'était un vieil homme, protesta Brunetti.

– Les personnes âgées sont les victimes idéales, rétorqua Rizzardi en enlevant ses gants, qu'il plaqua soigneusement l'un contre l'autre et glissa dans leur sachet transparent avant de les remettre dans sa poche. Elles sont faibles et ne peuvent pas se défendre.

– On pourrait penser que les gens les respectent. Que les gens pourraient être… différents, avec elles. »

Rizzardi regarda Brunetti. « Tu sais, Guido, parfois j'ai du mal à croire que tu fasses ce genre de boulot. »

Brunetti, qui avait observé, au fil des années, le respect, pour ne pas dire la révérence, avec laquelle Rizzardi traitait les morts qu'il était appelé à examiner, ne souffla mot.

« Il est difficile de dire combien de coups il a reçus, reprit Rizzardi. J'en serai sûr… plus tard.

– "Le plaisir de ceux qui vous blessent réside dans votre douleur", se surprit à répéter Brunetti.

– Pardon ? fit Rizzardi.

– C'est quelque chose qu'a écrit Tertullien, lui précisa-t-il.

– Tertullien ?

– Le théologien. »

Rizzardi émit un soupir qu'il essaya d'imprégner de la plus grande patience possible. « Je sais qui est Tertullien, Guido. Mais je ne sais pas pourquoi tu le cites en cet instant précis.

– C'est comme ça qu'on l'appelait, expliqua-t-il en indiquant Franchini du menton.

– Tu le connaissais ?

– Je savais des choses sur lui.

– Ah, fit simplement Rizzardi en guise de réponse.

– Il passait son temps à lire les Pères de l'Église à la Biblioteca Merula.

– Pourquoi ?

– Peut-être parce qu'elle les avait en latin. Et que c'était pour lui un endroit où aller.

– Comme les cinémas et les restaurants, nota Rizzardi.

– Il avait été prêtre, par le passé, donc peut-être qu'il se sentait plus en phase en lisant ces textes qu'en allant voir *Bambi*.

– Les gens vont encore voir *Bambi* ?

– Ne le prends pas au pied de la lettre, Ettore. C'est juste le premier film qui m'ait traversé l'esprit.

– Ah bon. »

Brunetti songea que leur conversation touchait à sa fin. Le silence se fit, et au moment où il décida qu'il était temps de retourner parler au frère de Franchini, Rizzardi déclara : « Et voilà qu'il est mort. » Sur ces mots, le médecin légiste tapota de nouveau ses poches, fit un signe de tête à Brunetti et sortit.

14

Après avoir dit à Vianello de rester là jusqu'à ce que le bateau vienne chercher le corps, Brunetti descendit l'escalier et traversa le *campo*. En s'approchant du banc, il aperçut la nuque de Pucetti, qui se tenait près de Franchini. Lorsqu'il les vit tournés l'un vers l'autre, il s'arrêta pour les observer. Les épaules de Pucetti bougeaient à peine, suivant le rythme de ses mains qui accompagnaient ses propos. Franchini hocha la tête, puis ses deux épaules firent un mouvement lorsqu'il croisa ses bras sur la poitrine. Pucetti désigna d'une main un des bâtiments se dressant de l'autre côté du *campo* et Franchini acquiesça de nouveau.

Brunetti entendit bientôt la voix de Pucetti : « Quand j'avais entre sept et onze ans. »

Il ne put saisir la réplique de Franchini.

« Vers Santa Croce. En descendant sur San Basilio. L'appartement était plus grand, nous étions trois enfants à l'époque. » Pucetti marqua une longue pause. « C'était la première fois que j'avais une chambre toute pour moi. »

Franchini ajouta quelque chose que Brunetti ne put entendre.

« J'avais deux sœurs, elles étaient tout le temps ensemble. J'aurais aimé avoir un frère. » Puis, se remémorant la situation, il s'excusa : « Je suis désolé, monsieur, je… »

Brunetti vit Franchini se tourner et tapoter furtivement le genou de Pucetti, mais il ne pouvait toujours pas saisir ce qu'il disait. Il remarqua que Pucetti avait rougi et fut soulagé de constater que le jeune homme pouvait encore ressentir de la gêne. Il prit sur la gauche et les rejoignit en passant sur le côté.

Pucetti se leva et le salua ; Franchini le regarda, mais ne sembla pas le reconnaître.

Brunetti dit à Pucetti qu'il pouvait remonter et prit place près de Franchini.

Une minute s'écoula avant que Franchini ne finisse par demander : « L'avez-vous vu ?

– Oui, monsieur. Je suis désolé de ce qui lui est arrivé. Et pour vous aussi. »

Franchini se contenta d'un signe d'assentiment, comme si parler lui coûtait trop d'efforts.

« Vous m'avez dit que vous étiez proches l'un de l'autre. »

Franchini se pencha en arrière et croisa les bras. Puis, trouvant visiblement cette position inconfortable, il se pencha en avant pour recommencer à observer le sol entre ses pieds. « Oui, c'est ce que je vous ai dit.

– Vous avez dit que vous avez étudié les mêmes choses et que vous étiez religieux lorsque vous étiez jeunes, lui rappela Brunetti. Étiez-vous suffisamment proches pour vous raconter votre vie ? »

Au bout d'un moment, Franchini déclara : « Il n'y a pas grand-chose à dire. Je suis marié, mais je n'ai pas d'enfants. Ma femme est médecin. Elle est pédiatre. J'enseigne encore, mais j'espère pour plus très long-temps.

– À cause de votre âge ?

– Non, parce que ça n'intéresse plus les étudiants de faire du grec ou du latin. Ils préfèrent apprendre ce qui touche aux ordinateurs. » Sans laisser le temps à Brunetti d'intervenir, il poursuivit : « C'est cela qui les intéresse, dans ce monde. À quoi peuvent bien servir le grec et le latin ?

– À discipliner l'esprit, énonça Brunetti, de manière quasi automatique.

– C'est absurde, rétorqua Franchini. Ces langues font montre d'une structure ordonnée, mais c'est autre chose que de discipliner l'esprit. »

Brunetti dut admettre la pertinence de ce propos ; mais il ne vit pas, pour autant, pourquoi un esprit devrait être, avant tout, discipliné. « Votre frère était-il marié ? »

Franchini secoua la tête. « Non ; quand il s'est défroqué, c'était trop tard pour ce genre de chose. »

Brunetti s'abstint de s'attarder sur la question et préféra lui demander : « Sa retraite lui permettait-elle d'avoir un niveau de vie correct ?

– Oui, il avait très peu de frais. Je vous l'ai dit : la maison était à nous, donc il pouvait y vivre. Tout ce qu'il avait à payer, c'étaient les factures de gaz et d'électricité. » Il hocha la tête vers le sol à maintes reprises, comme s'il essayait de convaincre les pavés que son frère avait mené une vie agréable.

« Je vois, fit Brunetti. Savez-vous s'il avait des amis ici, monsieur Franchini ? » Comme il vit les mains de l'homme se raidir, il précisa : « Je suis désolé de vous poser ces questions, mais nous avons besoin de savoir le plus de choses possible sur lui.

– Est-ce que cela le fera revenir ? lui demanda Franchini, comme bien d'autres personnes dans les mêmes circonstances.

– Non. Rien ne le fera revenir, comme nous le savons tous les deux. Mais on ne peut pas laisser arriver des choses pareilles...

– C'est pourtant arrivé », le coupa Franchini.

Une maxime latine revint involontairement à l'esprit de Brunetti. « *Nihil non ratione tractari intelligique voluit.* »

Ces mots déferlèrent sur Franchini à la manière d'une vague ; il se mit sur le côté et se tourna pour mieux voir Brunetti. « Il n'y a rien que Dieu veuille laisser incompris et non soumis à la raison. » Il ne put masquer son étonnement. « Comment savez-vous cela ?

– Je l'ai appris à l'école il y a des années, et visiblement, je l'ai gardé en mémoire.

– Pensez-vous que ce soit vrai ? »

Brunetti secoua la tête. « Il y a trop de gens qui nous disent ce que Dieu veut ou désire. Je n'en ai personnellement aucune idée.

– N'empêche que vous l'avez cité. Pensez-vous que nous devions encore obéir à Tertullien ?

– Je ne sais pas pourquoi j'ai dit cela, monsieur Franchini, je suis désolé, je ne voulais pas vous offenser. »

Le visage de l'homme s'adoucit par un sourire. « Non, cela m'a étonné, et non pas offensé. C'est le genre de chose qu'Aldo faisait tout le temps. Pas seulement à propos de Tertullien, mais aussi de Cyprien et d'Ambroise. Il avait une citation pour tout, conclut-il avant de s'essuyer de nouveau les yeux.

– Monsieur, je pense qu'il faut trouver l'assassin de votre frère. Pas à cause de Dieu. Mais parce que ce genre de chose est grave et doit être puni.

– Pourquoi ? demanda Franchini en toute simplicité.

– Parce que.

– Ce n'est pas une raison, contesta-t-il.

– Pour moi, c'en est une. »

Franchini observa le visage de Brunetti, puis se pencha en arrière et écarta les bras sur le sommet du banc, d'un air aussi détendu et désinvolte qu'une personne n'ayant rien de mieux à faire que bronzer.

« Dites-moi ce que vous savez de votre frère, s'il vous plaît, monsieur », insista Brunetti.

Franchini pencha la tête en arrière, le visage levé face aux rayons de soleil. Au bout d'un long moment, il lâcha : « Mon frère était un voleur et un maître chanteur. C'était aussi un menteur et un imposteur. » Brunetti détourna son regard pour fixer le bateau de la police ; Foa était sur le pont, concentré sur les pages roses de *La Gazzetta dello Sport*. Il pensa à une phrase que Paola répétait souvent : « On peut sourire et sourire, et pourtant être un scélérat[1] », comme Hamlet l'affirmait à propos de sa mère.

« Dites-m'en plus, s'il vous plaît.

– Il y a peu de choses à dire, en vérité. Aldo n'a cessé de déclarer haut et fort qu'il a changé lorsqu'il a perdu la foi, mais c'était aussi un mensonge. Il n'a jamais eu foi en rien, si ce n'est en son intelligence ; il n'a jamais eu la vocation : devenir prêtre, pour lui, c'était la voie assurée du succès. Mais cela n'a pas marché dans son cas et il a fini comme professeur de latin pour des collégiens en pension, et non pas comme un évêque, avec une foule de gens sous ses ordres.

– C'était à cela qu'il aspirait ? »

Franchini baissa la tête, puis se tourna vers Brunetti. « Je ne le lui ai jamais demandé. Je crois qu'il ne le

---

1. *Hamlet*, I, 5.

savait pas lui-même, en fait. Il pensait qu'être prêtre l'aiderait à s'élever dans la société : c'est la raison pour laquelle il voulait en devenir un. »

Brunetti ignorait ce qu'il entendait par s'élever dans la société, mais il ne put se résoudre à poser la question. Peut-être en redoutait-il la réponse, surtout après les révélations de Franchini sur son frère. Il se rendit compte que sa question avait pour seul but de continuer à le faire parler, tandis qu'il faisait sienne cette nouvelle vision de la victime. Il ne voyait plus Aldo Franchini comme un homme pieux, à la recherche de la vérité religieuse, mais comme un menteur, un voleur, un imposteur et un maître chanteur. Il n'y avait pas lieu de s'étonner qu'il n'ait pas signalé les agissements de Nickerson au personnel de la bibliothèque.

Le souvenir de la chétive silhouette écrasée contre le mur de la pièce d'en haut lui traversa l'esprit et Brunetti se sentit soulagé d'éprouver quand même de l'indignation et une sensation de perte face à la mort et à la souffrance que Tertullien avait endurée, indépendamment de ce que son frère venait d'asséner.

Il avait été prêtre et professeur dans une école de garçons, et c'était un maître chanteur. « Y a-t-il un lien entre ce que vous m'avez révélé du caractère de votre frère et les raisons pour lesquelles il a quitté l'école où il enseignait ? »

Franchini ne put cacher son étonnement. Brunetti l'observait en train de remonter le fil de sa pensée. « Oui, finit-il par dire, avant d'ajouter : C'est même l'explication évidente, non ?

– Vous l'a-t-il dit ?

– Non, bien sûr que non. Il ne m'a jamais dit la vérité, à aucun moment.

– Comment l'avez-vous apprise, alors ?

– Oh, nous sommes un tout petit cercle, nous autres professeurs de ces disciplines. Je connaissais celui qui l'a remplacé – il n'était pas prêtre – et il m'a raconté ce qui s'était passé.

– C'est-à-dire ?

– Aldo faisait du chantage à deux des prêtres.

– Ah, soupira Brunetti. Et qu'est-ce qui s'est passé ?

– Un des garçons a fini par parler des prêtres à ses parents et ils ont appelé la police. »

Franchini marqua une pause, comme s'il revivait le moment où il avait découvert ces faits. Brunetti fouilla dans ses souvenirs, pour se remémorer un incident analogue survenu à Vicence, il y a quelques années, mais il n'en avait pas gardé la moindre trace ; par ailleurs, il était courant que l'arrestation d'un prêtre ne soit pas rendue publique.

« Ils ont été arrêtés tous les deux, et c'est là qu'ils ont fait part du chantage à leur supérieur.

– Est-ce qu'il l'a dit à la police ?

– Je ne crois pas. Aldo n'en a subi aucune conséquence. » Franchini regarda de nouveau par terre, poussa un mégot de cigarette du bout du pied et expliqua : « Vous savez, c'est très étrange. Pendant un certain temps, je me suis consolé en me disant qu'il ne leur faisait que du chantage, et que donc, il ne faisait pas de mal aux garçons. » Il leva les yeux et fit à Brunetti un sinistre sourire, puis se remit à fixer le sol. « Mais cela revenait à dire que je trouvais normal d'être un maître chanteur. » Il leur laissa le temps de réfléchir sur ce point, puis enchaîna au bout d'un instant : « J'étais si fier de lui, quand j'étais petit.

– Il a perdu son emploi, reprit Brunetti après un moment de silence.

– Oui.

– Qu'est-il arrivé aux deux prêtres ?

– Mon ami m'a dit qu'on les a congédiés pendant un mois.

– Et puis ?

– Ils ont été nommés dans d'autres écoles, je présume.

– Est-ce que votre frère a fait chanter d'autres personnes ? »

Franchini secoua la tête. « Je ne sais pas. Mais il a toujours eu un niveau de vie confortable et s'est toujours offert d'agréables vacances.

– En tant que prêtre ?

– Il jouissait d'une très grande autonomie. Surtout les années où il a travaillé dans cette école. Il y est resté quinze ans. Il disait à la ronde qu'il donnait des cours particuliers. » Il regarda Brunetti et, à la vue de sa confusion, il spécifia : « Pour justifier son argent.

– Ah », fit le commissaire.

Franchini, comme agacé que Brunetti ne lui pose pas la bonne question, déclara : « L'un des prêtres était le directeur de l'école. »

Cette fois, ce fut Brunetti qui fit un signe d'assentiment.

« Savez-vous s'il a fait d'autres choses du même genre ?

– Il volait.

– Par exemple ?

– Des choses chez nos parents.

– Comme quoi ?

– Il y avait quatre tableaux de bonne facture qui étaient dans la famille depuis des générations. Ils y étaient encore quand mes parents sont morts et qu'Aldo est venu s'installer. Ils n'y sont plus. »

Devançant Brunetti, il précisa : « Non, ce n'est pas aujourd'hui que j'ai remarqué leur disparition.

– Cela fait combien de temps ?

– Deux ans. Après une année à la maison, il n'y en avait plus un seul.

– Lui avez-vous demandé ce qu'ils étaient devenus ? »

Franchini soupira et haussa les épaules. « À quoi bon ? Il n'aurait fait que mentir. En outre, je n'ai personne à qui les laisser. Ce ne sont que des soucis en plus. » Puis, d'une voix plus légère : « Si l'argent l'avait rendu heureux, j'en aurais été content. » Brunetti le crut.

« Et les mensonges ?

– Sa vie entière n'a été que mensonges sur mensonges, répondit Franchini avec lassitude. Il faisait semblant en tout et pour tout : de vouloir devenir prêtre, d'être un bon fils, d'être un bon frère. » Il s'ensuivit un long silence, que Brunetti n'eut pas le cœur à briser.

« La seule chose de vraie, à son sujet, c'était le latin. Il aimait vraiment ça, et les textes écrits dans cette langue.

– Était-il un bon professeur ?

– Oui. C'était l'unique activité à laquelle il s'adonnait corps et âme. Il arrivait à captiver ses élèves, à leur faire saisir la clarté rigoureuse du latin, la profondeur avec laquelle cette langue associait les mots et les idées.

– Est-ce qu'il vous l'a dit expressément ? »

Franchini réfléchit avant de répondre. « Non, mais c'est ce qu'il m'a appris. Il était déjà à l'université quand j'ai commencé le lycée et il m'a aidé les premières années, il m'a aidé à percevoir la perfection de ces deux langues. » Il songea à ses propos un instant, puis continua : « La passion, j'ai vu ce que c'était. » Il ajouta, d'une voix plus forte : « J'ai rencontré certains de ses anciens étudiants et ils m'ont tous dit que les cours d'Aldo les galvanisaient et qu'ils avaient beaucoup plus appris avec lui qu'avec n'importe quel autre professeur. Qu'il leur avait appris aussi à aimer les langues et qu'ils l'aimaient pour cela. »

L'emploi de ce mot dans la bouche de Franchini dérangea Brunetti. « Se peut-il que votre frère ait… avec les garçons ?

– Oh non, Aldo aimait les femmes. Il avait des maîtresses aux quatre coins de la Vénétie. Un jour où il avait bu plus que de raison, il m'a dit qu'il avait réussi à se faire beaucoup d'argent avec elles. En leur demandant de l'argent pour l'Église.

– Elles savaient qu'il était prêtre ?

– Certaines d'entre elles, pas toutes.

– Je vois. Vous étiez au courant de tout cela ?

– J'ai eu le temps de l'apprendre. Toute ma vie. » Et pour la première fois, Brunetti sentit un accent de trahison dans sa voix.

« Oui, approuva Brunetti. Mais comment avez-vous appris toutes ces choses sur lui ?

– Nous avions des amis en commun. Ou plutôt, c'étaient des amis à moi, qui firent sa connaissance. » Il se recula de nouveau au fond du banc et étendit ses jambes. « Ou alors, il s'en est vanté. J'étais la seule personne auprès de qui il pouvait faire étalage de ses frasques : ses femmes, son argent et son intelligence tellement supérieure à celle de tous les gens qu'il avait rencontrés.

– Quand vous tenait-il ces propos ?

– Habituellement, c'était lors de nos rencontres, mais je ne pouvais plus le supporter – surtout après la disparition des tableaux – alors j'ai cessé de venir le voir ici. » Franchini regarda le bâtiment de l'autre côté du canal. « C'est là que nous avons grandi. C'était notre maison. »

Il ouvrit son mouchoir, s'essuya le visage avec, comme si c'était une serviette, et le remit dans la poche de son pantalon. « Ces dernières années, tout ce que nous avions comme contacts, c'étaient ces coups de fil. Je ne sais pas pourquoi, mais je ne pouvais pas m'empêcher de l'appeler. Peut-être que je croyais qu'il finirait par s'écouter et par s'entendre parler. Mais cela n'est jamais arrivé. Je crois qu'il en était vraiment venu à se croire si intelligent qu'il pouvait duper tout le monde. » Il observa les maisons sur la rive opposée et fit un signe en leur direction. « Le jeune policier a dit qu'il avait grandi ici. » Puis, d'un ton plus sobre, il affirma : « Cela reste un bon quartier. »

Il se redressa, se tapa les mains sur les cuisses, comme s'il voulait se montrer prêt à l'action, ou tout au moins en exprimer le souhait.

« Que dois-je faire ?

– Il vous faudra malheureusement l'identifier », déclara Brunetti.

Franchini se tourna, visiblement terrorisé. « C'est au-dessus de mes forces. » Les larmes lui montèrent aux yeux, sans même s'en apercevoir.

« C'est une procédure officielle, monsieur Franchini. Je suis désolé, mais c'est la loi. Il vous faut opérer cette identification formelle. »

Franchini se recula au fond du banc et secoua la tête. « Ça m'est impossible. Vraiment. » La vue des larmes sur son visage adoucit Brunetti. « Il suffira que vous alliez voir Rizzardi à l'hôpital et que vous signiez les papiers. J'en parlerai au docteur, il ne sera pas nécessaire que vous le revoyiez. Vous pouvez attendre demain, ou après-demain. Si vous nous dites à quelle heure arrive votre train de Padoue, Pucetti – le jeune homme auquel vous avez parlé – viendra vous chercher à la gare. » Comme il ne put se résoudre à lui dire que le dottor Rizzardi serait à la morgue, il ajouta : « Il vous conduira au bureau du docteur Rizzardi. »

Le visage de Franchini se détendit et il se leva. « Puis-je y aller maintenant ? demanda-t-il, comme s'il s'étonnait de ne pas l'avoir demandé plus tôt.

– Oui. » Brunetti, debout à ses côtés, prit l'homme par le bras et lui annonça : « Notre vedette va vous emmener, monsieur. »

Franchini déclina l'invitation. « Il fait beau, je peux y aller à pied.

– Oui, c'est vrai. Mais c'est loin jusqu'à la gare et je pense que ce serait plus pratique pour vous d'y aller en bateau. » Brunetti lâcha le bras de Franchini et put faire ainsi un signe de la main en direction de Foa.

« C'est très aimable à vous. »

Brunetti ne trouva rien à répondre. « J'ai une faveur à vous demander, finit-il par dire.

– Je vous écoute.

– Je voudrais que vous réfléchissiez aux conversations que vous avez eues avec votre frère ces derniers mois.

– C'est ce que j'ai fait ces deux dernières heures, monsieur. Je suis désolé, j'ai oublié votre grade.

– Commissaire.

– Commissaire, répéta Franchini de manière formelle.

– Aviez-vous noté quelque chose de différent chez lui ? »

Franchini fit un petit pas vers le bateau et Brunetti, craignant d'être allé trop loin, le suivit de près. Franchini s'arrêta, fit un autre pas, s'arrêta de nouveau et leva les yeux vers Brunetti, qui le dominait par sa taille. « Il y avait quelque chose qui le grisait. Je ne sais pas ce que c'était. Je ne le lui ai pas demandé et Aldo ne me l'a pas dit. Mais ça le grisait. Je sais qu'il voulait m'en parler, mais je n'ai pas pu écouter.

– Cela s'était-il déjà produit auparavant ? »

Franchini hocha la tête. « Il avait un comportement de chasseur, parfois. Ça l'excitait de trouver quelque chose – ou quelqu'un – de nouveau. Je l'avais observé chez lui et je l'avais écouté me raconter ses expériences par le passé, mais ça avait fini par me sortir par les yeux. Si bien que je l'ai coupé dans son élan quand il m'a demandé si je voulais savoir quel projet il avait en vue. Je lui ai juste demandé comment il allait et ce qu'il était en train de lire. Je ne voulais parler que de cela avec lui.

– Je vois, fit Brunetti, se demandant comment il pourrait l'amener à lui faire d'autres révélations : ses sentiments, ses impressions, les non-dits cachés derrière ce que son frère voulait lui raconter.

– Une fois, il y a six mois environ, il m'a dit qu'il était resté bloqué des années à attendre et qu'il avait enfin trouvé quelqu'un qui était prêt à partir en chasse avec lui. » Il marqua une pause et spécifia, étonné par la résurgence de ce souvenir : « "Dans le poulailler". Ce sont exactement ses mots.

– Que voulait-il dire par là ? s'informa Brunetti, même s'il pensait avoir compris.

– Je ne sais pas. Je ne le lui ai pas demandé. Je ne voulais pas savoir. » Le volume de la voix de Franchini augmentait à chacune de ses brèves déclarations.

Il reprit son chemin en direction du bateau. « Je crois que je vais accepter votre offre, commissaire. »

15

Lorsque Brunetti retourna dans l'appartement de Franchini, les deux hommes de la brigade du crime se tenaient dans l'embrasure de la porte. Ils étaient en train de boucler leurs caisses de matériel et avaient encore sur eux leur combinaison qu'ils n'enlèveraient qu'à leur retour à la questure.

Pucetti et Vianello, qui portaient tous deux des bottillons et des gants, parurent à la porte qui menait à l'arrière de l'appartement ; Bocchese les suivait, lui aussi encore entièrement vêtu de son équipement professionnel.

« Est-ce que tu as vu l'autre pièce ? demanda Vianello à Brunetti.

– Oui.

– Tes conclusions ?

– Il était en train de lire. Quelqu'un a sonné ou frappé à la porte de l'appartement ; il a posé son livre sur la table pour aller répondre. Et on l'a tué. » Il s'enquit auprès de Bocchese : « Est-ce que tes hommes ont perquisitionné l'appartement ?

– Tu sais bien que ce n'est pas notre rôle, Guido, répondit le technicien d'un ton exagérément patient. Nous, nous photographions les traces qui restent, nous faisons un rapport de la scène de crime et nous recueillons des échantillons, mais c'est vous qui ouvrez les choses et qui regardez partout. »

Brunetti était sur le point de sourire, mais il se retint, pour ne pas donner cette satisfaction à Bocchese. « Laisse-moi reformuler ma question : quelqu'un d'entre vous aurait-il vu quelque chose susceptible de nous intéresser ? À tout hasard, cela va sans dire.

– C'est ton fort, ces subtils distinguos, hein ? C'est Lorenzo qui était chargé de l'inspection, pas un de mes hommes. »

Brunetti tourna son attention vers Vianello, qui expliqua : « J'ai jeté un coup d'œil aux livres et certains semblaient différents des autres. »

« Différents », cela pouvait signifier beaucoup de choses, comme le savait Brunetti. « Différents en quoi ?

– Ils avaient l'air vieux », précisa Vianello avec un sourire. Pucetti, qui se tenait debout derrière lui, opina du chef.

Un des techniciens appela Bocchese et l'informa qu'ils étaient prêts à rentrer à la questure. « Je pars avec eux et je vous confie les livres.

– Laisse une boîte pour les preuves, d'accord ? lui demanda Brunetti. Juste au cas où. »

Bocchese fit un signe d'assentiment et s'en alla, faisant crisser ses pieds sur le sol. Vianello conduisit Brunetti et Pucetti dans l'autre pièce, vers la bibliothèque en bois de noyer, située derrière le fauteuil où Franchini était assis. Ils enfilèrent leurs gants en latex et Brunetti se mit aussitôt à étudier les livres. Les étagères du haut portaient les volumes classiques d'histoire italienne et de pensée politique : Machiavel, Guichardin, Gramsci. Même Bobbio y figurait. En dessous commençaient les auteurs latins : des éditions modernes de Cicéron, Pline, Sénèque et Properce. Il balaya du regard ces ouvrages plus que prévisibles, mais quelle ne fut pas sa surprise de voir, sur la troisième étagère du bas, Valerius Flaccus, Arrien et Quintilien, ainsi qu'un manuscrit de Justinien qu'il n'avait jamais lu – cela dit, il n'avait jamais lu non plus Valerius Flaccus. Il y avait aussi Salluste, *La Conjuration de Catilina*, qu'il avait lue mais complètement oubliée, et le *De la langue latine* de Varron, dont Brunetti soupçonnait que jamais personne ne l'ait ouvert.

Sur l'étagère encore plus bas se trouvaient les dramaturges, mais entre le *Phèdre* de Sénèque et les *Comédies* de Plaute figurait un autre livre, bien antérieur aux éditions modernes. Il le sortit et eut plaisir à sentir comme le livre se nichait aisément au creux de sa main. Il était relié en maroquin noir, disposé sans doute sur des lames de bois, et il présentait trois barres horizontales en relief sur le dos du livre. Il regarda la couverture et y vit le double cercle à l'intérieur d'un rectangle d'or, finement dessiné : CATUL TIBULLUS PROPER. Il le tâta de ses doigts gantés, l'ouvrit à la page de titre et vit qu'il avait été imprimé à Lyon par Gryphius en... il décoda les chiffres romains... 1534.

Il alla le poser sur le coussin du fauteuil de Franchini, puis retourna examiner l'étagère. Il prit un autre livre placé plus loin dans la rangée et l'ouvrit. La page de titre mentionnait les tragédies de Sénèque. Il tourna la page, non sans difficulté, et ressentit l'agréable émotion esthétique que lui procurait toujours la vision de la beauté. La main de l'enlumineur avait donné naissance à la lettre *N*, qui ouvrait la page avec le plus grand raffinement, puis l'artiste avait égrené une longue couronne de toutes petites fleurs – rouges, dorées et bleues, aussi fraîches que si elles avaient été peintes la veille – qui venaient sertir le texte. Au pied de la page, le flot des fleurs se réunissait pour glisser ensuite sous un blason avec deux *lions rampants*[1], avant de remonter gracieusement le long de la marge intérieure de la page, pour finir par rejoindre le *N* originaire. « *NISI GRATIAS AGEREM tibi, vir optime.* » L'auteur rendait donc grâce à un homme bienveillant, conclut Brunetti. Sans doute Enrico Franchini avait-il raison ; être capable de traduire du latin ne disciplinait pas forcément l'esprit.

Il empila le livre sur le premier et nota qu'il y avait trois autres volumes de ce genre sur cette étagère, et plus encore sur celle d'en dessous. Sur le rayon d'en bas, il aperçut un ouvrage couché et se pencha pour le prendre. C'était Tacite, les cinq premiers livres. Il le posa contre le dossier du fauteuil ; il l'ouvrit et tressaillit à la vue des notes écrites à l'encre dans les marges. Il le feuilleta ; il l'avait lu autrefois, mais en italien. Il pouvait traduire des expressions et des phrases entières, mais ne pourrait jamais le lire dans le texte : pas après toutes ces années, ni avec son manque de rigueur intellectuelle. Il essaya de lire les notes écrites à la main, mais la calligraphie eut raison de lui et il y renonça.

Il ferma le livre de Tacite et le plaça sur la pile qui grossissait à vue d'œil ; il recula et observa les dos des livres restants. Les volumes antiques étaient faciles à reconnaître : presque tous portaient clairement la marque des étiquettes adhésives du catalogue version papier, qui avaient été arrachées.

Il en prit un sans réfléchir, ni tenir compte du titre : la reliure suffit à lui révéler son âge et à lui donner une

---

1. En français dans le texte.

idée de sa valeur. Il le mit au creux des mains et l'ouvrit au hasard. Il vit le *T* enluminé, avec un homme agenouillé à gauche et deux moutons de l'autre côté de la lettrine. Son cœur, puis ses mains se serrèrent à la vue du poème imprimé en italique. Il avait découvert ce texte plus de vingt ans plus tôt, lors de sa première visite chez les parents de Paola – lui, petit étudiant gauche et compassé, issu d'une humble famille, invité à dîner au palais Falier – où le comte lui avait montré certains livres de sa bibliothèque. Il revint à la page de titre, ce qui le conforta dans son souvenir : c'était bien le *Virgile* de Manuce. Il déchiffra la date : 1501. Il alla à la page 36 et y chercha en bas l'ex-libris avec le sceau du comte, mais il n'y était pas.

Brunetti l'ajouta à la pile. Il avait accumulé une véritable fortune sur cette chaise, et à aucun moment il ne songea que Franchini s'était procuré ces livres de manière honnête. « Un voleur et un maître chanteur, un menteur et un imposteur. »

Il récupéra le Sénèque, l'ouvrit de nouveau et trouva rapidement le petit tampon ovale en bas à gauche de la page de titre. « Biblioteca Querini Stampalia », lut-il. Il alla à la page 57, puis 157, où figurait la même mention. Et, juste par acquit de conscience – même si c'était désormais inutile –, il tourna la dernière page, où il vit apparaître la même estampille. C'était le même système de numérotation des bibliothèques qui avait cours à l'époque où il était étudiant.

Vianello, qui l'avait observé en silence pendant tout ce temps, déclara : « J'ai pensé que tu comprendrais, toi, ce que c'est. » Il en prit un : Catulle, Tibulle et Properce. « Je ne sais rien d'eux. Je peux à peine deviner le titre et la date. Je n'ai pas fait de latin à l'école.

– Pour moi, ce sont de vieux trucs, c'est tout, asséna Pucetti.

– C'est quelque chose que tu pourrais apprécier, dit Brunetti au jeune homme.

– Peut-être », répliqua Pucetti. Puis, à la manière de Raffi, il lui posa le genre de question qui lui écorchait les oreilles : « Est-ce qu'ils sont intéressants ?

– Tout dépend de ce que tu considères comme intéressant, Roberto, lâcha-t-il. Je les lis et ils me plaisent.

– Pourquoi ? »

Brunetti prit le livre des mains de Vianello. « Parce que j'aime le passé, je pense. Lire sur l'histoire nous montre que nous n'avons pas beaucoup changé au cours de tous ces siècles.

– Pourquoi devrions-nous changer ?

– Ce ne serait pas mal de se débarrasser de certains fléaux, intervint Vianello.

– Mais ce serait le chômage assuré pour nous tous », plaisanta Brunetti qui partit demander aux techniciens s'ils avaient un carton assez grand pour contenir tous ces livres.

À la questure, les trois hommes se rendirent dans le bureau de Brunetti ; il les précédait, portant cette grosse boîte. Une fois à l'intérieur, ils remirent leurs gants et, conformément à ses instructions, ils ouvrirent les livres en glissant leurs doigts sous les couvertures et en les feuilletant jusqu'à la page de titre, pour chercher toute indication du propriétaire légitime. Les hommes veillaient à toucher les livres le moins possible et à tourner les pages en les tenant aux angles.

Douze volumes provenaient de la Merula. Dans un autre, qui n'appartenait pas à cette bibliothèque,

Brunetti trouva l'habituel emblème de Manuce, composé du dauphin et de l'ancre, et décryptant les caractères grecs, il put lire le nom de Sophocle, et la date de 1502. Sous ces insignes se trouvait une plaque portant les initiales *P* et *D*, séparées par un dauphin debout. Deux autres provenaient d'une bibliothèque publique de Vicence. L'ouvrage qu'il ouvrit ensuite était une édition de 1485 de l'*Histoire* de Tite-Live, imprimée à Trévise, également estampillée aux initiales *P* et *D*. Un autre encore – une édition de 1470 de la *Rhétorique* de Cicéron – était exempt de tout sigle. Brunetti songea alors que Franchini avait pu se l'acheter, mais il en douta.

Ce n'est qu'après avoir fini d'établir la liste des livres qu'il appela Bocchese et lui demanda de leur envoyer un de ses hommes. Tôt ou tard, ils pourraient finir par y trouver une empreinte digitale commune, autre que celle de Franchini.

Les livres une fois partis, Vianello et Pucetti prévinrent le commissaire qu'ils retournaient là où habitait Franchini, pour parler aux gens du quartier ; Brunetti appela alors la dottoressa Fabbiani pour lui annoncer la mort de Franchini et lui parler des livres qu'ils avaient trouvés chez lui.

« Mon Dieu, pauvre Tertullien ! » s'exclama-t-elle, sans penser le moins du monde aux livres.

Il s'ensuivit une longue pause, que Brunetti n'eut pas le courage d'interrompre. D'une voix altérée, elle le remercia pour l'information et lui dit que la section des livres rares resterait fermée jusqu'à ce qu'ils aient pu établir un inventaire complet de la collection. Il s'apprêtait à lui poser une question mais elle le coupa, lui expliquant qu'elle ne pouvait parler davantage, avant de raccrocher.

Après ce coup de fil, Brunetti s'approcha de la fenêtre, sous prétexte d'aller voir où en était le printemps. Il regardait les pampres de la vigne passer par-dessus la clôture qui entourait le jardin de l'autre côté du canal, mais les bourgeons et les pousses auraient très bien pu s'aligner et danser le french cancan, au vu du peu d'attention qu'il leur prêtait. Il y avait quelque chose qui le dérangeait, au fin fond de ses souvenirs, et il essaya de se triturer la cervelle, tout comme la dottoressa Fabbiani s'était trituré les ongles. Il ressassait cette idée encore et encore... Quelle était donc cette histoire qu'on lui avait racontée, et à laquelle il ne pouvait plus croire ?

Et enfin, le souvenir surgit nettement dans sa mémoire. Viale Garibaldi ; une femme assise sur un banc, en train de parler avec Franchini. Puis l'arrivée soudaine d'un homme, l'agression, le refus de Franchini de porter plainte. D'un certain point de vue, il aurait pu s'agir d'une agression fortuite. Mais compte tenu du faible de Franchini pour les femmes et pour le chantage, l'histoire prenait une tout autre tournure.

Il revint à son ordinateur et entra le nom de l'agresseur pour pouvoir se procurer son dossier. Il trouva à la deuxième page le nom et l'adresse de sa compagne, celle qui avait obtenu une ordonnance restrictive à son encontre : Adele Marzi, Castello 999, le *sestiere*[1] où avait vécu Franchini. Il vérifia son adresse sur le campo Ruga : 333. Il était peu probable que les habitations soient proches l'une de l'autre, mais il sortit tout de même son *Calli, Campielli e Canali* du tiroir du bas, trouva les coordonnées et l'ouvrit à la carte

1. Nom des six parties composant Venise.

212

n° 45. Il étudia un moment la succession incohérente des numéros, puis il s'aperçut que le numéro 999 se trouvait juste au pied du pont San Gioachin et donc – du fait de l'ordonnancement chaotique de la ville – à moins de deux minutes de l'appartement de Franchini.

Il tapa le nom de la femme, mais elle ne figurait dans leurs archives que pour avoir demandé à la cour d'interdire à Durà de l'approcher. Il trouva, dans le formulaire qu'elle avait rempli à cet effet, son numéro de portable et le composa.

« Oui ? répondit une voix de femme à la cinquième sonnerie.

– Signora Marzi ? demanda Brunetti.

– Oui.

– Le commissaire Guido Brunetti à l'appareil, dit-il, et il lui laissa le temps de comprendre qu'il était un commissaire de police. Je voudrais vous parler.

– À quel sujet ? s'enquit-elle.

– De l'accident sur le viale Garibaldi. »

Elle garda le silence un long moment, puis s'informa : « Que voulez-vous savoir à ce propos ?

– Nous avons décidé de revenir sur cette affaire.

– Il est en prison.

– Je le sais, signora. Mais il est tout de même nécessaire que nous discutions de cet accident. »

Elle répliqua, de cette voix tremblante de peur qui se saisit de tout citoyen obligé de se frotter à l'État : « Je n'ai plus de nouvelles de lui. »

Brunetti se demanda si elle faisait allusion à son ancien compagnon ou à Franchini, mais il ne posa pas la question. « Il est tout de même nécessaire que nous nous parlions, signora.

– Pourquoi ?

– Parce que nous avons besoin de connaître plus de choses sur ce qui s'est passé. »

C'était une réponse stupide, mais il savait combien la peur peut émousser les perceptions des gens et leur faire perdre le sens critique.

« Quand ? »

Cela prenait l'allure d'une négociation, mais il y vit une reddition.

« Quand cela vous arrangera le mieux, signora », répliqua-t-il d'une voix chaleureuse. Il jeta un coup d'œil à sa montre et vit qu'il était presque 8 heures. « Demain vous irait-il ?

– À quelle heure ?

– Votre heure sera la mienne, signora.

– Où ?

– Vous pourriez venir à la questure, ou bien…

– Non », rétorqua-t-elle, sans le laisser achever sa phrase.

La crainte avait de nouveau envahi sa voix. Il était prêt à lui proposer un endroit près de son domicile, mais cela ne ferait que lui confirmer que la police savait où elle habitait ; s'afficher en compagnie d'un inconnu dans son quartier pouvait aussi lui déplaire. « Nous pourrions nous rencontrer au Florian, suggéra-t-il.

– D'accord, dit-elle de mauvaise grâce avant de répéter : À quelle heure ? »

Ce ne serait pas mal de lui laisser un peu de temps pour remuer tout cela dans sa tête, songea-t-il. « À 15 heures.

– D'accord, approuva-t-elle après un moment de silence où il pouvait quasiment l'entendre réorganiser sa journée.

– Bien. Je vous verrai là-bas. Faites-moi demander, à votre arrivée : Brunetti. Je donnerai mon nom aux serveurs.

– D'accord », répéta-t-elle, et elle raccrocha.

Il ouvrit sa boîte e-mail et écrivit à la signorina Elettra, qui devait être certainement chez elle, à cette heure. « Pouvez-vous chercher toutes les infos utiles sur Adele Marzi, Castello 999 ? Je sais qu'on a rendu une ordonnance restrictive contre son ancien compagnon, Roberto Durà, mais je n'ai rien d'autre sur son compte. » Puis, manquant un peu de tact, il ajouta : « Je la vois demain après-midi. » Sans même attendre la réponse, il éteignit son ordinateur et rentra chez lui.

16

Il était 21 heures passées lorsqu'il arriva à la maison. Il n'avait pas appelé Paola pour la prévenir de son retard, mais elle était habituée à ces fluctuations d'horaires et elle lui laissait généralement quelque chose au four ou sur la gazinière, et s'en retournait lire ou corriger les copies de ses étudiants dans son bureau. Il y a longtemps – fort longtemps –, il se sentait coupable de rentrer tard, mais son sentiment de culpabilité s'était atténué face à l'apparente indifférence de son épouse vis-à-vis de ses absences.

Il l'avait interrogée une fois à ce sujet et elle lui avait demandé en retour s'il pensait vraiment que cela pouvait la déranger de passer une heure en compagnie de Trollope ou de Fielding, plutôt qu'avec deux adolescents et un mari ayant d'horribles crimes plein la tête. Brunetti avait parfois du mal à concilier les propos que pouvait tenir Paola avec l'image d'une épouse et une mère dévouée qu'il avait d'elle.

Il trouva à la cuisine un grand plat d'artichauts, pas ces vulgaires et gigantesques artichauts romains, mais de délicates *castraure* [1]. Il devait y en avoir une

---

1. Petits artichauts violets. Spécialité locale très prisée, cultivée sur l'île de Sant'Erasmo, l'île maraîchère de Venise.

dizaine. Il prit la fourchette posée près d'elles et en mit cinq dans une assiette. Il sortit ensuite une cuillère du tiroir et les couvrit avec l'huile d'olive baignant au fond du plat. Il ouvrit le réfrigérateur et se servit un verre de vin blanc sans se préoccuper de l'étiquette. Il posa deux tranches de pain sur le côté de son assiette et remarqua qu'il avait un peu séché. Comme il n'y avait pas de sort plus cruel, à ses yeux, que de manger tout seul, il alla rejoindre Paola dans son bureau, situé à l'arrière de l'appartement.

La porte était entrouverte et il entra sans même frapper. Elle leva les yeux de son canapé, où elle avait revendiqué le droit de s'allonger de travers, et de tout son long, sur ce qu'elle considérait comme son territoire. Il s'assit à la place vide au bout du divan et posa son assiette et son verre sur la table basse.

« Guido, dit-elle tandis qu'il levait son verre pour en boire une gorgée, quelqu'un m'a raconté une histoire très bizarre.

– À quel propos ? » demanda-t-il en piquant son premier artichaut.

Ils avaient été frits dans de l'huile d'olive et un peu d'eau, et Paola y avait laissé une tête d'ail entière et parsemé quelques feuilles de persil en fin de cuisson. Il le coupa en deux, trempa les lamelles dans l'huile et les retourna pour s'assurer qu'elles en avaient été tout autant gratifiées de l'autre côté. Il en mangea un, sirota son vin et sauça un peu d'huile d'olive avec un morceau de pain. « Alors c'est quoi, cette histoire ?

– J'ai parlé avec Bruno aujourd'hui.

– Celui qui a le camping ?

– Oui.

– Il m'a dit qu'il fichait le camp à Rio avec une touriste allemande et qu'il allait y ouvrir un cours de samba. » Bruno, que Brunetti connaissait depuis des années, était l'oncle d'un camarade de classe de Paola, qui tenait aussi un petit hôtel sur le Lido. Comme le Lido était éloigné du centre-ville, la Guardia di Finanza y sévissait moins, ce qui avait toujours poussé Brunetti à soupçonner Bruno d'être tout sauf rigoureux dans la tenue de ses comptes.

« Est-ce qu'il a eu un problème avec ses clients ? demanda-t-il, persuadé que les commentaires des touristes étaient souvent une fenêtre ouverte sur la réalité du monde.

– Non. C'est arrivé à l'improviste.

– Quoi donc ?

– Il y a quelque temps, il a reçu un coup de fil chez lui. Un homme, qui connaissait son nom, lui a dit qu'ils étaient en train de passer en revue tous les gens travaillant dans le secteur du tourisme.

– Ils ? s'informa Brunetti en buvant une gorgée de son vin.

– C'est ce qu'il leur a demandé : qui ils étaient. L'homme a répondu "La Finanza". » À la vue de son expression, Paola répéta : « C'est bien cela. "La Finanza".

– Qu'est-ce qu'elle lui voulait, la Guardia di Finanza ?

– Le type lui a dit qu'il pensait que ça pouvait l'intéresser de s'abonner à quelques magazines.

– Quelle sorte de magazines ?

– Il en a décrit cinq et a dit qu'il était sûr que Bruno voulait s'abonner au moins à l'un d'entre eux.

– Qu'est-ce qu'il a fait ?

– Qu'est-ce qu'il a fait, à ton avis ? Il a cédé.

– Pourquoi ?

– Parce qu'il n'avait pas la conscience tranquille, Guido, comme nous tous. Combien d'entre nous respectent tout le temps la loi ? Quand on va au restaurant, on te donne un reçu ?

– Pas si je connais les gens, effectivement, répliqua Brunetti d'un ton indigné, comme si on l'avait accusé d'être un voleur à l'étalage.

– C'est contre la loi, Guido. Tu n'es pas tout blanc, toi non plus. Dans ton cas, probablement que ça n'irait pas plus loin, une fois que tu leur aurais dit que tu es de la police, mais ils ne lâchent pas les gens qui ne font pas partie du club.

– Comme Bruno ?

– Comme lui et tous les autres gens qui sont honnêtes, mais qui ne peuvent pas vivre honnêtement. Son loyer a triplé en dix ans et il y a de moins en moins de gens qui veulent séjourner au Lido. Donc il enfreint la loi pour pouvoir survivre, en gagnant de l'argent sans payer d'impôts dessus. Les gens qui l'ont appelé le savaient. Et ils s'en sont servis.

– Quand est-ce que ça s'est passé ?

– Il y a quelques mois. »

Brunetti prit une autre gorgée de vin, mais laissa de côté les artichauts.

« Continue, je t'écoute.

– Les magazines arrivent par des coursiers, qu'il paye à chaque fois, ce qui fait qu'il n'a aucune idée de qui peut bien être l'expéditeur.

– C'est quel genre de magazines ?

– L'histoire des garde-côtes, la contribution de la marine à notre société, des choses comme ça. »

Il les connaissait bien. Il n'y avait pas un poste de police, dans le pays tout entier, où il n'en traînait pas, avec leurs histoires à dormir debout sur les différentes branches des services de l'État.

« Ce type lui a donné d'autres informations ? En dehors du fait qu'il l'appelait de la part de "La Finanza" ? »

– Non, rien. Et son numéro de téléphone est sur liste rouge.

– Donc il n'y a que le coursier qui touche l'argent, et qui peut venir de n'importe où.

– C'est cela.

– Pourquoi tu me racontes cette histoire ?

– Parce qu'il les a payés. Et parce qu'il n'y a qu'une alternative : ou c'est une arnaque – comme je le crois – ou La Finanza est vraiment en train de faire ces contrôles. Bruno pensait que c'était La Finanza, et il a cédé au chantage et payé pour être tranquille. »

Il ne voyait plus rien à dire ou à demander.

« On en est là, Guido. Si un organe public téléphone et nous menace, ou si on croit que c'en est un, on paie. On en est réduit à ce stade, à payer et à céder aux chantages de l'État pour s'en protéger. »

Brunetti refusa de mordre à l'hameçon. Il voulait manger ses artichauts en paix, finir son vin et retourner à la cuisine, pour voir ce qui l'attendait au four. Il n'avait pas envie de se laisser impliquer dans cette affaire, ni même de faire des commentaires. Comment pouvait-elle s'attendre à une autre réaction de la part de Bruno, face à une telle situation ?

Il regarda le reste des artichauts, se demandant ce qu'il allait faire. S'il les mangeait, il donnerait l'impression à Paola de se désintéresser de son discours ; s'il ne les mangeait pas, cela signifiait être obligé de parler. Il prit son assiette et son verre et retourna à la cuisine. Dans le four, il y avait un plat ovale recouvert d'une feuille de papier aluminium. Il le tâta d'un doigt sur le côté et l'exploration fut concluante : il pouvait le sortir en toute sécurité. Ce qu'il fit, puis il retira la feuille.

Deux petites cailles gisaient entre une montagne de petits pois frais et une montagne encore plus haute de pommes de terre nouvelles rôties, le tout exhalant l'arôme du cognac dans lequel les cailles avaient cuit. D'accord, sa femme était un véritable fauteur de trouble, mais en cuisine, elle s'y connaissait. Il poussa le reste des artichauts sur un côté et transvasa le tout dans son assiette. Il sortit la bouteille du réfrigérateur, il continuerait au vin blanc. Il retrouva son *Gazzettino*, à l'endroit où il l'avait laissé le matin. Il posa le journal près de son assiette et reprit sa lecture là où il l'avait interrompue. Comme la nourriture, les nouvelles de ce matin-là ne devaient pas être remises au lendemain : mieux valait les consommer sans attendre.

Une fois sa lecture terminée, il mit son assiette dans l'évier et fit couler de l'eau bouillante dessus ; il trouva ensuite une bouteille de cognac et s'empara de deux verres. Il les descendit dans le bureau de Paola, en guise de calumet de la paix, même s'il n'y avait pas de paix à rétablir.

Elle leva les yeux et lui sourit ; était-ce pour saluer son retour, ou à cause du cognac qu'il avait avec lui ? Cette fois, elle poussa ses pieds pour lui faire plus de place et posa son livre sur le côté. « J'espère que c'était bon, dit-elle.

– Je me suis régalé, répliqua-t-il en levant la bouteille. Et j'ai décidé de continuer à décliner le thème du cognac. »

Elle saisit le verre qu'il lui tendait. « C'est très aimable à toi, Guido. » Elle en but une gorgée et hocha la tête en signe de remerciement.

« Je suis venu te dire ce qui s'est passé », dit-il en s'asseyant à ses pieds.

Il n'avait toujours pas touché à son second verre de cognac lorsqu'il eut terminé de lui raconter le meurtre de Franchini et de lui parler des livres qu'il avait trouvés dans son appartement.

« Mais pourquoi est-ce qu'on l'a tué ? » Brunetti lui rapporta, pour toute réponse, la remarque que lui avait faite le frère de Franchini.

Cela la figea. Elle commença à parler, mais visiblement incapable de trouver les mots, elle regarda devant elle et agita une main en l'air, qu'elle finit par laisser retomber.

« Je le crois, ajouta Brunetti. Je ne saurais pas expliquer pourquoi, mais je le crois. Il continuait à pleurer, même après m'avoir parlé. » Brunetti passa sous silence les autres révélations qu'il tenait du frère de Franchini : le chantage, le farouche désir d'Aldo de s'élever dans la société, ses nouveaux projets, et son bonheur à l'idée d'avoir trouvé un compagnon de chasse.

« Et voilà qu'il est mort, asséna Paola.

– Oui. » Elle ne lui avait jamais demandé, pendant toutes ces années, de détails sur les meurtres sur lesquels il enquêtait. Le fait que l'on puisse mourir de la main de quelqu'un d'autre avait déjà son comptant d'horreur, aux yeux de Paola.

Elle posa son verre comme elle le faisait habituellement lorsqu'elle finissait de boire. Brunetti remarqua qu'il était encore quasiment plein, tout comme le sien, dont il n'avait plus envie désormais.

« Qu'est-ce que tu vas faire, maintenant ?

– Demain après-midi, j'ai rendez-vous avec une femme qui le connaissait.

– Qui le connaissait comment ? s'enquit-elle.

– C'est une des questions que je vais lui poser, déclara Brunetti, le plus simplement du monde.

– Et ensuite ?

– Pourquoi son ancien compagnon l'a agressé. »

Elle lui lança un regard empli de curiosité.

« C'est arrivé il y a environ six mois. Ils ont eu une prise de bec et Franchini s'est retrouvé à l'hôpital avec un nez cassé. Il n'a pas porté plainte. Celui qui l'a frappé est en ce moment en prison pour un autre méfait. Donc, ça ne peut pas être lui.

– Au moins, c'est déjà un premier indice, nota-t-elle avant de lui demander : Pourquoi est-ce que tu veux lui parler ?

– Pour qu'elle m'en dise plus sur Franchini. Tout ce que je sais, en l'état actuel des choses, c'est que c'est un ancien prêtre, qui a passé des années dans une bibliothèque à lire les Pères de l'Église mais qui, d'après son frère, n'était pas quelqu'un d'honnête. Et dont la maison était remplie de livres volés. » Il marqua une pause avant d'ajouter : « Je veux voir si sa version à elle coïncide avec celle de son frère, et laquelle est la vraie.

– Et si les deux l'étaient ? »

Brunetti réfléchit un instant à cette éventualité et finit par dire : « Pourquoi pas, effectivement ? »

17

Le lendemain après-midi, Brunetti se rendit au Florian. Il traversa la place Saint-Marc en gardant bien cette idée à l'esprit. Il avait déjeuné avec Paola et les enfants. D'un commun accord, ils ignorèrent la conversation de la veille pour tenter de décider ensemble où ils pourraient aller cet été-là. « En admettant que ton chef ne te fasse pas rester en ville pour surveiller les pickpockets », observa Chiara, ce qui laissa entendre à Brunetti qu'il se livrait peut-être trop librement à des commentaires sur son travail.

« Il y a plus de chances que ce soit pour vérifier les permis bateau et contrôler les excès de vitesse sur le Grand Canal », suggéra Paola en se levant. Il se pencha pour l'embrasser sur la tête. « J'appellerai si je suis en retard », lui dit-il.

Même si chacun avait donné son avis, ils n'avaient pas réussi – comme toujours – à s'entendre sur l'endroit où aller passer leurs vacances. Peu importait à Paola où c'était, du moment qu'elle pouvait se prélasser toute la sainte journée, lire tout son soûl, puis sortir dîner dans la soirée. Ce qui comptait, pour les enfants, c'était d'être au bord de la mer et de pouvoir nager du matin au soir. Quant à Brunetti, ce qu'il voulait, c'était pouvoir faire de longues randonnées en montagne, rentrer l'après-midi et s'endormir sur un livre. Les problèmes les attendaient au tournant, craignait-il. Terrible de donner le droit de vote aux enfants…

Il arriva sur la Piazza par les Mercerie et la traversa en diagonale pour gagner le Florian. Il s'arrêta au milieu de la place et se tourna pour regarder la façade de la basilique. Il trouvait absurde et excessif cet édifice constitué de fragments disparates, rapportés au sein du butin de Byzance. Quel homme sain d'esprit aurait pu concevoir cet ensemble de portes, coupoles et mosaïques aux scintillements dorés ? Dans l'espoir de rompre le charme qu'exerçait sur lui cette église, il sortit son téléphone et composa le numéro de la signorina Elettra : quel geste étrange que de passer un coup de fil, tout en admirant les copies des chevaux pillés à Constantinople presque mille ans plus tôt. La signorina Elettra, qui n'était pas allée au bureau ce matin-là, ne répondit pas, si bien qu'il allait devoir rencontrer la signora Marzi sans avoir pu bénéficier d'informations préalables sur sa vie et ses activités.

À l'intérieur du café, il fut frappé, comme à chaque fois, par son mélange de dégradation et d'élégance. Les nappes étaient immaculées ; les garçons resplendissaient dans leurs vestes blanches et assuraient un service rapide et aimable. Mais la peinture sur les murs était défraîchie et écaillée, et striée de toutes les marques des dossiers de chaise qui l'avaient frottée pendant des décennies entières. Le velours des banquettes, élimé par des générations de touristes, lui rappelait les plaques toutes râpées sur les nounours que ses enfants avaient mis au placard depuis longtemps.

Il dit au serveur qu'il attendait une dame et qu'elle le ferait appeler. Il pénétra dans le premier salon sur la gauche et lui précisa qu'il commanderait quand la personne arriverait, puis il revint à la porte d'entrée et choisit, parmi les journaux mis à la disposition des clients, *Il Gazzettino* du jour.

L'histoire du meurtre de Franchini figurait en bas à droite de la première page du supplément sur Venise et disait juste qu'il avait été trouvé mort « dans de mystérieuses circonstances » et que la police menait l'enquête. Le nom et l'âge de la victime étaient reportés de manière correcte et le quotidien mentionnait aussi qu'il avait été prêtre autrefois et avait travaillé dans une école à Vicence. Brunetti se demanda comment ils avaient pu obtenir toutes ces informations aussi vite ; qui de la police leur avait parlé, et avec quelle autorité ?

« Monsieur Brunetti ? » appela une voix de femme.

Il posa le journal sur la table d'à côté et se leva. « Madame Marzi ? » lui dit-il en lui tendant la main.

Elle était grande, presque autant que lui ; elle avait les cheveux un brin trop blonds et un maquillage trop prononcé pour cette heure de la journée. Ses yeux étaient si foncés qu'ils semblaient presque noirs et elle les avait soulignés de mascara au-dessus et en dessous. Elle avait redonné à ses sourcils finement épilés leur épaisseur naturelle en passant un crayon noir qui dessinait ce *V* retourné que l'on voit souvent dans les personnages de dessins animés.

Elle avait un petit nez retroussé, d'où partaient deux légères rides qui descendaient tout droit jusqu'à la lèvre supérieure. C'était la quarantenaire typique. Son âge pouvait augmenter ou diminuer selon la lumière et le maquillage, et sans doute aussi l'humeur. Mais dans tous les cas, c'était le genre de femme que la plupart des hommes devaient trouver séduisante.

« Je vous en prie », dit-il en la conduisant vers le banc capitonné à sa gauche et il tira la table, de manière à ce qu'elle pût se glisser derrière. Elle rajusta sa jupe et s'assit. Sur un homme, la veste croisée de son costume gris foncé aurait fait l'effet d'un vêtement traditionnel, vu et revu ; sur une femme, surtout une femme avec des cheveux aussi courts que les siens, elle prenait un subtil parfum de provocation. La qualité du tissu, tout comme la coupe, sautait clairement aux yeux. En dessous, elle portait un pull noir à col rond et un seul rang de perles. Ce n'était pas le style de femme à s'habiller chez Coin[1]. Elle plaça son sac à main à l'emplacement vide à sa droite et regarda la place par la fenêtre. Baissant les yeux, elle observa les objets sur la table, comme si c'était la première fois qu'elle voyait une carte, ou un sachet de sucre.

Brunetti capta le regard du serveur, qui s'approcha de leur table ; il lui commanda un *macchiatone*[2]. Le garçon se tourna vers la femme, qui hocha la tête. « Deux », confirma Brunetti.

Une fois le garçon parti, la femme leva les yeux vers Brunetti et demanda : « Que voulez-vous savoir ?

– Je voudrais que vous me disiez ce qui s'est passé cet après-midi-là dans le viale Garibaldi.

– Après six mois ? » répliqua-t-elle. Elle le regarda fixement, passa sa langue sur les lèvres et détourna les yeux.

Brunetti haussa les épaules. « C'est cela, le travail de la police. Nous établissons des faits, et puis il arrive

---

1. Grand magasin de Venise. Version vénitienne du nom de famille Cohen.
2. Grand café crème.

autre chose et nous devons revenir en arrière et réexaminer l'incident de départ.

– Que s'est-il produit pour que vous ayez eu à le faire ? »

Comme elle n'avait pas prêté particulièrement attention au journal, tout portait à croire qu'elle n'avait pas lu l'article sur le meurtre de Franchini. Il ne se sentit nullement obligé de le lui mentionner : *Laissons-la parler comme s'il était encore en vie.*

« Rien qui ne vous concerne directement, signora, répondit-il sans en être tout à fait convaincu. Racontez-moi simplement ce qui est arrivé. » Il veillait bien à ne poser aucune question sur les événements ou les personnes. Il voulait qu'elle croie qu'il ne s'intéressait qu'aux faits, comme s'il ne faisait que revérifier le rapport existant.

Elle leva les yeux et croisa de nouveau le regard de Brunetti. « Je descends parfois le *viale* pour aller prendre le vaporetto. J'aime bien cet endroit, parce qu'il est ample et aéré et qu'il y a des arbres. » Brunetti acquiesça, comme l'aurait fait tout Vénitien. « Ce matin-là, j'ai vu un homme que je connaissais et je me suis arrêtée pour lui parler. Après que je l'aie quitté, mon ancien compagnon est arrivé et ça a mal tourné entre eux. Je n'étais pas là et je n'ai pas vu ce qui s'est passé. » Puis elle ajouta, d'un ton où s'était glissée une note d'exaspération : « J'ai déjà raconté tout cela à la police. » Avant que Brunetti n'ait eu le temps de faire un commentaire, le garçon était de retour et posa leurs cafés et deux petits verres d'eau devant eux. Il poussa le bol en céramique avec les sachets de sucre un peu plus près de la dame, fit un signe en direction de Brunetti et s'en alla.

Brunetti versa le sucre dans son café et le tourna. Il en prit une gorgée et reposa la tasse. « Vous avez dit que vous connaissiez cette personne ? »

Au lieu de répondre, elle rapprocha le bol. Elle prit un sachet qu'elle déchira lentement, le versa dans son café et le remua. Puis elle regarda Brunetti comme si elle avait répondu à sa question et en attendait une autre.

« Vous avez dit que vous connaissiez cette personne ? » répéta-t-il.

Un groupe de trois femmes, vêtues de pulls à capuche et de chaussures de sport, entrèrent et déplacèrent les chaises jusqu'à ce qu'elles soient toutes parvenues à se mettre autour de la table la plus proche de la fenêtre. Elles parlaient à haute voix dans une langue que Brunetti ne put reconnaître, mais l'une d'elles finit par saisir son regard et murmura aux autres de baisser le ton.

Il se tourna de nouveau vers la signora Marzi, qui enchaîna : « C'était quelqu'un du quartier. Les gens m'avaient parlé de lui. » Elle joignit les mains sur les genoux, ayant apparemment oublié son café. Brunetti attendit qu'elle continue. Elle dégagea sa main droite et commença à tâter le tissu de la nappe comme si elle essayait d'évaluer si la qualité valait la peine de l'acheter.

Brunetti finit son café, se recula sur son siège et croisa les bras.

Elle leva les yeux et reprit : « Je vous l'ai dit, je n'ai pas vu ce qui s'est passé.

– Comment en avez-vous entendu parler ? »

Elle sembla sincèrement surprise par la question. « Vous m'avez appelée. » À la vue de la confusion momentanée de Brunetti, elle spécifia : « La police.

Comme j'avais déjà porté plainte à plusieurs reprises contre lui, ils m'ont appelée quand ils l'ont arrêté, poursuivit-elle sans chercher à dissimuler son agacement, avant d'ajouter d'un ton agressif : Vous ne gardez pas les dossiers, vous autres ?

– L'homme était blessé, affirma Brunetti, passant outre sa provocation.

– Mon ex est un homme très fort.

– Vous avez dit que vous connaissiez l'homme qui était assis sur le banc.

– Pourquoi me demandez-vous tout cela ?

– Je ne comprends pas pourquoi votre compagnon devrait frapper cet homme juste parce que vous lui avez parlé. »

La signora Marzi ouvrit son sac et en sortit un mouchoir en coton, parsemé de petites roses. Elle s'en servit pour s'essuyer les coins de la bouche, même si elle n'avait pas encore touché à son café. Le brillant à lèvres rose qu'elle avait en entrant avait pratiquement disparu. Elle replia son mouchoir et le remit dans son sac à main, en l'ouvrant suffisamment longtemps pour que Brunetti puisse reconnaître le discret label Hermès sur la doublure.

« Le simple fait que je lui aie parlé était suffisant pour lui, finit-elle par déclarer, puis elle s'humecta de nouveau les lèvres.

– Lui aviez-vous déjà parlé d'autres fois ?

– Quelqu'un m'avait dit qu'il était prêtre, si bien que j'ai cru que je pouvais lui faire confiance », énonça-t-elle en guise de réponse. Elle n'avait pas l'air d'être le genre de femme à faire confiance à un prêtre – ni à personne, du reste – mais il hocha la tête en signe de compréhension.

« Était-ce un point sur lequel vous ne pouviez pas faire confiance à vos amis ? » s'enquit-il.

Elle joignit à nouveau les mains sur les genoux. « Il fallait que je parle de lui avec quelqu'un. » Brunetti devina à qui elle se référait.

« Je vois. Et le prêtre vous a-t-il aidée ? »

C'était un sujet de conversation étrangement intime pour l'aborder avec quelqu'un qu'elle connaissait à peine, debout, devant un banc public, mais il ne le lui fit pas remarquer.

Elle avait un regard furtif et suspicieux, comme si elle craignait qu'il n'en sache plus qu'il ne voulait bien le montrer. Elle secoua la tête. « Non, il ne m'a pas aidée. Il m'a dit qu'il n'était plus prêtre et qu'il n'avait aucun conseil à me donner. »

Elle se rappela tout à coup son café ; elle porta la tasse à ses lèvres et fut surprise qu'il ait refroidi. Elle reposa la tasse sur la soucoupe.

« Vous lui aviez donc parlé, auparavant ? »

Elle fit un signe d'assentiment d'un air faussement confus, mais ne souffla mot.

« À l'homme sur le banc, précisa Brunetti. Celui que votre ex a frappé. Il s'est retrouvé à l'hôpital. Le saviez-vous ? »

Elle opina du chef et dit : « Oui », mais rien de plus.

« Lui aviez-vous parlé auparavant ? »

Elle se composa un air irrité : elle plissa les yeux et pinça ses lèvres si fort qu'elles ne formaient plus qu'une ligne très fine. Brunetti la regarda calmement, comme un homme attendant que le nuage passe pour pouvoir jouir à nouveau de la lumière du soleil.

« Peut-être », lui concéda-t-elle. Brunetti tourna ses yeux vers la fenêtre et regarda les gens aller et venir, afin de cacher tout signe irrépressible de triomphe. Le garçon revint sur ces entrefaites et prit la commande des trois femmes, qui chuchotaient maintenant comme dans une église. Le serveur regarda Brunetti qui secoua la tête, et il partit.

« En tant que prêtre ? » s'informa Brunetti avec douceur, en songeant combien la plupart des entretiens – même si lui les considérait comme des interrogatoires – se ressemblaient. Une fois que les gens commencent à parler, persuadés qu'ils ont acquis la confiance de leur interrogateur, même s'ils ont des choses à cacher, ils se sentent suffisamment en sécurité pour commencer à raconter les petits mensonges qui finiront par les piéger. La seule manière de ne pas tomber dans ce panneau, c'est d'éviter de parler à la police de quoi que ce soit sans la présence de son avocat, mais peu de gens le font, se croyant suffisamment intelligents pour pouvoir, la plupart du temps, s'en sortir tout seuls.

Sa voix se fit plus grave. « Lorsque je l'ai rencontré, je ne savais pas qu'il avait été prêtre.

– Où l'avez-vous rencontré ? Il y a combien de temps de cela ? »

Elle aurait dû s'attendre à ces questions, et peut-être s'y était-elle attendue, d'ailleurs. « Là, dans le parc. Un jour, l'année dernière. J'y vais de temps à autre, le matin, pour m'asseoir au soleil. C'est sur le chemin du bateau, donc si je sors assez tôt, je peux m'arrêter une demi-heure en allant au travail. » Brunetti ne dit rien, ne demanda rien.

« Il avait l'habitude aussi de s'asseoir là et de lire, et un jour, la seule place de libre était à côté de lui, donc je lui ai demandé si je pouvais m'asseoir et nous avons commencé à parler.

– De son livre ?

– Non, rétorqua-t-elle catégoriquement. Je ne lis pas. »

Brunetti opina du chef, comme si c'était la chose la plus normale du monde.

« Nous avons parlé de choses et d'autres. De choses réelles. » *Pas très gentil pour les livres*, pensa Brunetti. Il était curieux de savoir comment une femme de cet âge, visiblement célibataire, pouvait avoir suffisamment de temps libre pour passer ses journées assise sur un banc dans le viale Garibaldi ou, plutôt, comment elle avait pu se libérer à la dernière minute pour aller lui parler.

Elle profita du moment de silence pour boire son verre d'eau. Tout au long de leur conversation, Brunetti avait guetté chez elle la moindre trace d'émotion vis-à-vis de l'homme sur le banc – dont ils n'avaient jamais prononcé le nom –, mais il n'en releva aucune. Apparemment, elle avait été contrariée que Brunetti l'interroge à son sujet, et plus encore, de le voir insister sur la question, mais vu les sentiments qu'elle exhibait à l'évocation de cet homme, il aurait très bien pu lui parler de la pluie et du beau temps. En fait, la seule émotion qu'il décela et sentit flotter autour d'elle, tel un faible bourdonnement, était la nervosité suscitée par l'idée que sa rencontre avec l'homme sur le banc pût présenter un intérêt quelconque pour la police.

« Vous avez dit que vous vous arrêtiez à cet endroit en allant travailler, signora. Pouvez-vous me dire où vous travaillez ?

– Pourquoi voulez-vous le savoir ? demanda-t-elle avec un regard perçant.

– Par pure curiosité, lui dit-il en souriant.

– Je suis secrétaire, expliqua-t-elle, et elle ajouta, devant la réaction de Brunetti : Même si je suis plus, en réalité, que ce que les Anglais appellent une assistante administrative. » Mots qu'elle prononça comme ceux qui ne sont pas à l'aise avec cette langue.

« Oh, fit-il, impressionné par cette subtile nuance professionnelle. Secrétaire d'un particulier ?

– Oui, le marquis Piero Dolfin. »

À ce nom, Brunetti se remémora le contre-plat de couverture des livres trouvés dans l'appartement de Franchini, présentant les majuscules *P* et *D* et le sceau avec le dauphin bondissant.

Du ton le plus naturel possible, Brunetti lui glissa : « C'est un ami de mon beau-père. »

Comme si elle se devait de renchérir face à cette vantardise, la signora Marzi déclara : « C'est une très vieille famille, une des plus vieilles de la ville. »

C'était vrai, Brunetti le savait, même si la branche de la famille dont elle parlait était arrivée de Gênes à l'époque de l'Unité italienne avec un nom tout à fait différent et avait acheté son titre au nouveau roi d'Italie, en y accolant délibérément un des plus anciens noms de la Sérénissime.

Comme s'il ne pouvait réprimer son intérêt pour un emploi aussi exaltant, Brunetti s'informa : « Que faites-vous précisément ? »

Il profita de sa réponse pour envisager les différentes hypothèses en mesure de justifier la présence de livres de la bibliothèque de Dolfin sur les étagères de Franchini, même s'il ne pouvait y en avoir qu'une seule de valable. Il revint aux propos de la signora Marzi. « … trouver des membres du Rotary Club, conclut-elle.

– C'est tout à fait impressionnant », lança-t-il, sachant que c'était sans doute l'effet qu'elle avait souhaité produire par son discours. Il lui sourit, tout en continuant à se demander si elle était au courant des vols, ou si elle avait été utilisée.

Brunetti remarqua soudain que deux autres tables s'étaient remplies entre-temps : à l'une s'était installé un couple de Japonais d'une bonne cinquantaine d'années qui, assis à au moins dix centimètres du dossier de leur chaise, lui évoquaient la comtesse Morosini-Albani, et à une autre table se trouvaient deux adolescentes blondes qui contemplaient le décor, les yeux écarquillés.

Il se saisit du journal plié sur la table d'à côté et le passa à la signora Marzi. Elle en fut surprise et le saisit machinalement, en regardant le commissaire d'un air confus.

Brunetti ne dit rien.

Elle baissa la tête et jeta un coup d'œil aux gros titres. Il attendait. À un moment donné, il vit sa main gauche se contracter ; elle froissa le papier et fit un bruit que l'on put entendre jusqu'aux tables voisines. Lorsqu'elle eut fini de lire, elle posa le quotidien sur la table, entre eux. Elle gardait les yeux sur le journal, refusant de regarder Brunetti.

« Que faisiez-vous pour lui ? lui demanda-t-il, sur le ton de la conversation.

– Je ne sais pas de quoi vous parlez, répliqua-t-elle, déclaration tellement galvaudée qu'elle laissait entendre précisément le contraire.

– Franchini, précisa Brunetti en désignant le journal. L'homme dans le parc, l'homme que votre compagnon a envoyé à l'hôpital, mais qui n'a pas porté plainte contre lui. Que faisiez-vous pour lui ? »

Brunetti lançait l'hameçon au hasard. Il avait relié plusieurs fils ; même s'il ignorait ce qui les unissait, il savait qu'ils étaient tissés ensemble. « Comme vous voulez », conclut-il en haussant les épaules et il ajouta, avec son sourire le plus juvénile : « Le marquis Dolfin sera ravi de récupérer son Sophocle, j'en suis sûr.

– Son quoi ? s'exclama-t-elle d'un ton irrité.

– Son exemplaire de Sophocle. C'est un Manuce. 1502. Je suis sûr qu'il en sera soulagé. » Le temps que ses propos fassent leur effet, il enchaîna : « Savez-vous s'il avait remarqué que ce livre avait disparu ? Ou l'autre volume ? »

Elle répéta, d'un ton morne : « Je ne sais pas de quoi vous parlez. » Cette fois, il la crut.

« Ce sont des livres provenant de sa bibliothèque. Des livres rares. C'est pourquoi je crois qu'il va être ravi de les retrouver. » Puis, comme si l'idée venait juste de lui traverser l'esprit, il affirma, souriant de nouveau : « Et c'est grâce à vous qu'il va les recouvrer, n'est-ce pas ? » Il se retint de se pencher en avant et de lui tapoter le bras pour la féliciter, mais il hocha claire-ment la tête en signe d'approbation. « Vous vous ren-dez compte que si vous ne m'aviez pas dit que vous travailliez pour le marquis Dolfin, je n'aurais jamais su que ces livres étaient à lui ? »

Il soupçonna d'être allé trop loin, mais son silence obstiné l'avait agacé ; c'est pourquoi il voulait au moins savourer sa déconvenue, le but qu'il s'était fixé dès le départ. Il croisa son regard et s'abstint désormais de tout sourire.

« Ont-ils de la valeur ?

– Beaucoup.

– À combien peut-on les estimer ?

– Je n'en ai aucune idée. Dix mille euros, peut-être. Quinze mille ? » Elle en resta bouche bée et Brunetti ajouta : « Peut-être plus. »

Il fut étonné de la voir poser ses coudes sur la table et enfouir son visage dans les mains. Il l'entendit gémir et fut frappé de constater qu'il avait toujours rencontré ce mot au cours de ses lectures, mais n'avait jamais entendu personne le faire. C'était un bruit horrible, qui aurait fait accourir tout le monde à son secours, sans savoir ce qui se passait véritablement. Même lui, qui ne la portait pas dans son cœur, éprouva le désir atavique de l'aider ou de la réconforter.

Mais il se limita à lui dire : « Bien sûr, le marquis voudra savoir comment les livres se sont retrouvés en possession de Franchini, mais cela s'explique peut-être par le fait que vous le connaissiez et que vous l'ayez fréquenté un certain temps. J'espère que le marquis est suffisamment ouvert d'esprit pour ne pas vous en vouloir si votre ancien compagnon connaissait l'homme chez qui ont été trouvés les livres qui lui manquent. Mais pour vous, c'était un prêtre, n'est-ce pas, et non pas un voleur ? » Il s'arrêta, car il n'aimait pas le ton qu'il avait adopté, ni le fait que les gémissements de la signora Marzi, bien qu'atténués, fussent encore audibles. Il n'appréciait pas non plus que les gens aux deux tables voisines se soient retournés et le regardaient, comme s'ils le tenaient pour responsable de ces lamentations. Ce qu'il était, en fait.

Elle enleva les mains de son visage : « Sortons », dit-elle, puis elle se leva et le bouscula pour gagner la porte du café.

18

Il laissa 20 euros sur la table par prudence. Après tout, le Florian c'était le Florian, et rien ne lui aurait plus déplu que d'être rappelé à l'ordre pour ne pas avoir entièrement payé son dû. Une fois dehors, il resta sur les marches et regarda la place, en espérant que la signora Marzi n'ait pas été vampirisée par la foule.

C'est alors qu'il la vit, au bord de la terrasse du café ; elle se tenait près d'une des tables, son sac à main entrouvert. Deux hommes de son âge environ passèrent près d'elle, lui lançant des regards admirateurs. L'un d'eux s'arrêta pour lui parler, mais elle secoua la tête et s'esquiva. Les hommes poursuivirent leur chemin, même si celui qui lui avait adressé la parole se retourna et la regarda s'éloigner.

Brunetti la suivit un moment, puis accéléra le pas pour la rattraper. « Signora Marzi, dit-il, vous sentez-vous bien ? »

Elle se tourna pour lui faire face, affichant un air neutre. Elle saisit son sac à main et en tira la fermeture Éclair. « Il me licenciera s'il découvre la vérité. Vous le savez bien, non ? lui demanda-t-elle d'un ton insistant.

– Tout dépend de ce qu'il découvrira.

– Si vous avez trouvé les livres, cela signifie que Franchini est allé chez lui. » Comme Brunetti ne lui en donna pas confirmation, elle redemanda, d'un ton tout aussi insistant : « Comment aurait-il pu les prendre, sinon ?

– Avec votre aide ?

– Quoi ? » s'exclama-t-elle, en manquant une marche. Elle retomba lourdement sur son pied gauche et tituba du côté de Brunetti, dont elle s'écarta comme s'il l'avait touchée. « L'aider ? Lui ? Ce sale voleur ? » hurla-t-elle, le visage cramoisi de colère et crachant au mot « sale ». Elle venait d'apprendre la mort de cet homme et le traitait toutefois de sale voleur.

« Quand les a-t-il volés ? » s'enquit-il.

Elle pivota et s'éloigna. Il la suivit un moment, tandis qu'elle se dirigeait vers l'autre côté de la place. Il dépassa un homme et une femme qui marchaient bras dessus bras dessous, pour pouvoir la rejoindre. Il régla son pas sur le sien et lui précisa : « Signora, ce qui m'intéresse, c'est le meurtre, pas le vol des livres. » Ce n'était pas tout à fait vrai, mais le meurtre l'emportait sur le vol. C'était le crime le plus grave qui primait pour lui et il aurait complètement délaissé le vol s'il ne lui avait permis de mieux comprendre ou de résoudre le meurtre.

« Ce ne sont pas les livres qui me préoccupent, signora. Si cela peut vous aider, je vous rends tous les livres que Franchini a pris chez le marquis. »

Cela la figea sur place. Elle se tourna vers lui et lui demanda, instamment : « En échange de quoi ?

– Dites-moi ce que vous savez sur Franchini et comment il s'est procuré les livres, et ils sont à vous.

– Mais il faut que je les lui restitue ? s'enquit-elle, la voix haut perchée et nouée, en lui posant ces conditions comme pour le provoquer.

– Les livres n'ont aucune valeur à mes yeux, signora. Vous êtes libre d'en disposer comme bon vous semble. »

Son visage s'adoucit, tout comme sa voix. « Il a été gentil avec moi. Il m'a donné cet emploi et il me fait confiance. Bien sûr que je vais les lui rendre. »

Brunetti se rendit compte soudain à quel point cet endroit était bondé. Il y avait des gens partout, des centaines de gens – même plus encore – qui marchaient, restaient debout, prenaient des photos, faisaient des vidéos, posaient avec des pigeons perchés sur leurs épaules, jetaient du maïs aux volatiles, regardaient les vitrines, s'arrêtaient pour parler aux personnes près d'eux. Il jeta un coup d'œil circulaire sur la place, où ils formaient une mer bigarrée et agitée, qui déferlait en faisant un bruit de vagues houleuses. Il essaya d'imaginer où il pourrait s'échapper, mais ce fut peine perdue. Il ne pouvait se remémorer un coin tranquille dans un rayon de moins de deux ponts, ou à cinq minutes de marche. Seule la disparition de ces touristes dans un bar, une église ou un magasin aurait pu lui épargner la vue et le bruissement de cette foule.

« Qu'est-ce qui ne va pas ? » demanda-t-elle.

Il n'avait rien à lui dire. Elle était vénitienne : il l'avait conclu à son accent. « Où allez-vous ?

– Travailler », répondit-elle.

Sans savoir où c'était, il lui proposa tout de même : « Puis-je vous accompagner ? Nous pourrons parler. »

Comme si elle se réveillait d'un profond sommeil, elle regarda autour d'elle ; elle vit les gens et entendit leurs murmures. « Oui, accepta-t-elle. C'est par là. »

Elle s'engagea dans la via XXII Marzo et s'éloigna rapidement de la place. À proximité du pont, la rue s'élargissait, ce qui permettait à cette masse de se répandre.

Juste avant le pont, elle expliqua : « J'ai eu une liaison avec Aldo pendant quelques mois avant cette histoire dans le parc. C'était un très vieil ami de Roberto. » Puis, pour être sûre que Brunetti eût bien compris, elle spécifia : « Mon ancien compagnon. »

Brunetti opina du chef. Elle commença à gravir le pont et arrivée au sommet, elle se retourna pour regarder le Grand Canal. Elle croisa les bras, en tenant son sac d'une main. « Je pense que Roberto lui vendait des choses.

– Quel genre de choses ?

– Des choses qu'il achetait à des gens.

– Des choses volées ? spécifia Brunetti pour gagner du temps.

– Je pense que oui. »

Elle le savait, sinon elle ne l'aurait pas mentionné, mais Brunetti ne souffla mot. Elle poursuivit : « Certaines de ces choses étaient des livres. Je les ai vus quelquefois, lorsque nous vivions encore ensemble et qu'Aldo venait chercher les choses que Roberto lui vendait. » *Et elle n'a pas appelé la police*, songea Brunetti dans son for intérieur, puis il se dit, dans ce même for intérieur, de se taire, car la plupart des gens ne l'appellent pas, de toute façon.

« De vieux livres ? s'informa-t-il, mais juste par acquit de conscience.

– Oui. Il venait chez nous. Il était toujours poli envers moi, même s'il venait en l'absence de Roberto. Et c'est comme cela que… ça a démarré. Roberto avait dû aller à Crémone pour quelques jours et…

bon. Aldo était toujours si aimable envers moi. » Elle détourna son regard de Brunetti pour observer de nouveau le canal et rectifia : « Au début.

– Que s'est-il passé ensuite ? »

Comme si elle s'adressait à l'eau, elle raconta : « Après le retour de Roberto et après que cela… fut arrivé, j'imagine que j'étais différente quand j'étais avec Aldo, ou quand il était dans les parages, et Roberto s'en est aperçu. C'est là que les problèmes ont commencé.

– Les problèmes ?

– Des menaces, clarifia-t-elle en regardant à nouveau Brunetti. Mais seulement envers moi. C'était comme si Aldo n'avait rien à voir avec cela. Une fois Roberto m'a montré un pistolet et m'a dit qu'il s'en servirait si jamais je parlais avec un autre homme. C'est là que je suis allée à la police. Ma sœur était là quand il l'a dit, il y avait donc un témoin, Dieu merci. Je suis partie. J'ai tout laissé et je suis partie. Le marquis – je venais juste de débuter mon travail pour lui – m'a garanti l'aide de son avocat et c'est ainsi que j'ai obtenu l'ordonnance à l'encontre de Roberto.

– Et les livres ? Comment Franchini a-t-il réussi à les voler ? »

Elle jeta un coup d'œil aux gondoliers assis en bas sur leurs bancs, le long du quai ; ils bondissaient de temps à autre pour accueillir les touristes qui venaient leur parler ou négocier leurs tarifs. *Comme si on pouvait avoir le dernier mot avec un gondolier*, pensa Brunetti.

Elle s'éclaircit la gorge plusieurs fois puis se força, eut-il l'impression, à le regarder dans les yeux lorsqu'elle lui apprit : « Le marquis me laissa un petit appartement dans son palais, le temps que je trouve quelque chose de plus grand. » Il devina son envie de ne pas en dire plus, mais elle enchaîna : « Aldo m'y rejoignait parfois. » Sa voix dominait à peine les claquements de pieds sur le pont et le volume sonore des gondoliers. « Une nuit, il est entré dans l'autre aile du palais pendant que je… dormais. » Elle s'écarta du parapet et se tint droite. « C'est là que j'ai compris ce qu'il voulait.

– L'avait-il fait auparavant ? »

De nouveau, il observa son combat intérieur. « Très certainement, finit-elle par avouer.

– Comment avez-vous réagi ?

– La fois suivante où il m'a appelée, je lui ai dit que c'était fini.

– Et puis ? »

Elle détourna son regard avant de répondre à cette question. « Il a ri et m'a dit qu'il était soulagé. » Brunetti avait toujours admiré le courage : lorsqu'elle lui révéla cette décision d'un ton ferme, elle monta d'un cran dans son estime.

« Pourquoi lui avez-vous parlé dans le parc ?

– C'était la première fois que je le croisais depuis le coup de fil. J'étais surprise de le voir là, ce qui fait que je me suis arrêtée et que je lui ai demandé ce qu'il voulait. Il m'a répondu qu'il ne voulait rien, qu'il était juste assis là, à lire. C'est à cette scène que Roberto a assisté ; il nous a vus en train de parler et lorsque je suis partie, il est allé le menacer. C'est là que c'est arrivé.

– Je vois, fit Brunetti. Étiez-vous allée chez lui ?

– Non. Je ne savais pas qu'il habitait à Castello jusqu'à ce que je le lise. Tout à l'heure. » Elle désigna d'un geste la place, le Florian et le journal.

Elle commença à descendre le pont, avec Brunetti à ses côtés, serpentant tous deux comme des anguilles au milieu des flots. Elle tourna à droite au magasin de tapis, prit la direction de la Fenice, passa devant le théâtre et continua après l'Ateneo Veneto[1]. Elle s'arrêta sur le pont suivant et ouvrit son sac à main. Elle en sortit un trousseau de clefs. « C'est au pied de ce pont », dit-elle, lui signifiant clairement qu'il ne pouvait aller plus loin.

Comme s'ils avaient simplement bavardé tout le long du chemin et que cette question n'en était qu'une parmi d'autres, Brunetti lui demanda : « Aviez-vous la sensation qu'il achetait des choses à d'autres personnes, outre Roberto ? »

Franchini avait passé des semaines dans la même salle que Nickerson et avait donc certainement eu l'occasion d'observer son comportement. « Mon frère était un voleur et un maître chanteur, un menteur et un imposteur. » Ces mots résonnaient dans les oreilles de Brunetti, comme une mélodie entêtante.

Elle laissa les clefs glisser entre ses doigts, tel un chapelet métallique, et finit par dire : « Le seul intérêt qu'il portait aux autres, c'était de déceler leur talon d'Achille et de l'exploiter pour arriver à ses fins. » Elle fit cliqueter son trousseau dans la main et ajouta : « Oui, je pense qu'il achetait effectivement à d'autres personnes aussi. »

Brunetti observa les maisons de l'autre côté du canal. Le bruit du frottement constant des clefs, puis des pas des gens qui longeaient la *calle* et passaient le pont se substitua au son de sa voix.

---

1. Une des plus prestigieuses institutions culturelles de Venise, située dans la Scuola Grande di San Fantin, tout près de la Fenice.

« Je me souviens d'une fois où Roberto lui a montré un livre ; il lui a dit qu'il en avait déjà un exemplaire, mais qu'il le lui prenait quand même.

– Vous rappelez-vous de quel livre il s'agissait ?

– Non. Pour moi, ils étaient tous pareils : vieux, recouverts de cuir. Je ne sais pas ce que les gens leur trouvent. »

Avant même que Brunetti décidât de s'abstenir de toute explication, elle admit : « Mais s'il pouvait les vendre pour de grosses sommes d'argent, alors ils avaient de la valeur, n'est-ce pas ? »

Brunetti fit un signe d'assentiment, lui donna sa carte de visite et lui demanda de l'appeler sur son portable si d'autres détails lui revenaient à l'esprit.

Il fut surpris qu'elle lui tende la main, et plus surpris encore de la lui serrer avec plaisir.

19

Il revint sur ses pas et prit le numéro 1 à Santa Maria del Giglio, autant pour gagner du temps que pour éviter la foule, même si le vaporetto, à cette heure de la journée, n'était peut-être pas la meilleure solution. Il avait l'impression que la montée et la descente des passagers aux quelques arrêts sur sa ligne duraient à chaque fois une éternité, avec ces masses de gens qui bloquaient aussi bien l'entrée que la sortie des pontons. Après six minutes de retard – montre en main – à Vallaresso, il était prêt à réquisitionner le bateau, ou à appeler Foa pour qu'il vienne à son secours. Il passa le reste du trajet plus apaisé, en imaginant le pilote en train de longer le vaporetto – comme il l'avait fait pour aller les chercher à la Punta della Dogana – et en se voyant sauter d'un bateau à l'autre, sous les yeux des passagers qui assistaient à la scène avec un mélange d'étonnement et d'envie.

Puis il chassa ce scénario de son esprit et se concentra sur les révélations de la signora Marzi : Aldo Franchini, apparemment dépourvu de toute conscience, non seulement achetait des livres volés mais, à l'occasion, les volait de sa propre main. On n'avait trouvé que dix-sept volumes dans son appartement, un bien maigre butin par rapport au recel effectif et aux vols perpétrés. Pas de traces de journal intime, ni de carnet d'adresses – ni même d'un ordinateur ; juste le plus élémentaire des portables, non chargé et sans le moindre numéro en mémoire, et n'ayant reçu ni passé un seul coup de fil en plus de trois mois.

Arrivé à la questure, il passa par la salle de la brigade des policiers, mais il n'y avait ni Vianello ni Pucetti. Il se rendit au bureau de la signorina Elettra, où il la trouva en pleine conversation avec la commissaire Claudia Griffoni : la signorina Elettra assise à son bureau et Claudia Griffoni appuyée sur le rebord de la fenêtre, à la place que Brunetti avait fini par considérer, avec le temps, comme la sienne. Elles se turent lorsqu'il entra et il leur dit, sans réfléchir : « Je ne voulais pas vous interrompre » en se rendant compte, au moment même où les mots lui sortirent de la bouche, qu'on aurait dit un mari jaloux.

Claudia éclata de rire. « Tout ce que tu as interrompu, c'est une discussion sur la manière d'accéder aux dossiers du département des Affaires étrangères. » Le souvenir de ces mots, prononcés d'un ton si léger, et l'amusement qu'ils provoquèrent chez la signorina Elettra, risquaient bien de le faire sortir des limbes, un jour ou l'autre, s'ils venaient tous sans distinction à être soumis à une enquête interne pour les pillages illégaux – n'ayons pas peur des mots, se dit-il – auxquels ces deux femmes, dont il avait fini par gagner l'amitié au fil du temps, étaient désormais capables de se livrer. Pucetti et Vianello, craignait-il, étaient aussi victimes de leurs manigances, aspirés dans une cyberspirale qui ne pouvait que les conduire – redoutait-il, dans ses plus sombres moments – à une ruine inéluctable.

« À quelle fin ? s'enquit-il, calmement.

– Le bruit court, répondit la signorina Elettra, sans citer ni la source ni le but de cette rumeur, que quelqu'un du département a réussi à dupliquer les conversations entre la mafia et l'État et nous nous disions que ce pourrait être intéressant de les écouter. »

Les Romains, savait-il, honoraient la déesse de la Réputation, dont la demeure aux mille fenêtres reflétait tout sur ses murs en bronze ; cette déesse qui entendait et colportait tous les on-dit, d'abord sous forme de murmures, puis d'une voix éclatante. Certes, l'idée de divulguer les conversations téléphoniques des hommes politiques, enregistrées des décennies auparavant, où ils discutaient sérieusement de la possibilité de sceller un pacte de non-agression avec la mafia, était tentante. Mais était-ce réalité ou pure fiction ? La Cour suprême avait ordonné de supprimer les cassettes rapportant ces conversations, mais la rumeur déclarait qu'elles avaient été copiées avant leur destruction.

Brunetti se souvenait de l'époque où ce genre de chose le préoccupait, et où il s'indignait et se mettait en colère à l'idée que de tels faits puissent se produire, voire que des gens puissent croire que cela se produise. Mais maintenant, il écoutait et hochait la tête, croyant sans croire, et avec une seule envie : continuer son travail, puis rentrer chez lui pour être avec sa famille et lire les monuments littéraires laissés par des gens qui considéraient la Rumeur comme une divinité.

« Puis-je vous aider, commissaire ? » demanda la signorina Elettra.

Claudia Griffoni s'apprêtait à s'écarter du rebord de la fenêtre, mais Brunetti leva une main pour l'en empêcher. Il se tourna vers la signorina Elettra. « C'est au sujet de la signora Marzi », expliqua-t-il.

Il comprit à son regard que ses recherches avaient été, comme toujours, fructueuses, si bien qu'il ne fut pas étonné de l'entendre dire : « J'ai en main son acte de naissance, ses bulletins scolaires, son dossier médical, son attestation de domicile, tout son parcours professionnel, ses relevés de compte bancaire, ses déclarations de revenus, mais il n'y a rien de suspect. Elle n'a jamais été arrêtée, a été une fois interrogée en tant que témoin potentiel – lors de l'agression de Franchini –, mais elle n'a rien pu dire car elle était absente au moment des faits. Elle a obtenu une injonction à l'encontre de son ancien compagnon, qui l'avait menacée en présence d'un témoin. »

Brunetti n'en fut aucunement surpris. Elle avait vécu un certain temps avec un délinquant à la petite semaine, mais cela n'en faisait pas une criminelle pour autant et elle avait certainement fait preuve de loyauté et de gratitude à l'égard de son employeur. Mais tout en reconnaissant ces éléments, Brunetti ne pouvait admettre qu'elle ait pu s'enfoncer dans cette confortable ignorance de la situation.

Il changea de sujet. « Des nouvelles du côté de Rizzardi ? »

La signorina Elettra secoua la tête. « C'est encore trop tôt, répliqua-t-elle, lui rappelant qu'il s'était écoulé un seul jour depuis la découverte du décès de Franchini.

– Et sur le legs de la comtesse Morosini-Albani à la bibliothèque ?

– Le don a été fait en l'honneur de feu son époux et on disait à l'époque qu'il s'élevait à plusieurs centaines de milliers d'euros. » Puis elle ajouta, avec une pointe de déception dans la voix : « Je n'ai pas eu le temps d'examiner la valeur de chaque volume pris séparément, ce qui fait que c'est le seul chiffre que je puisse vous fournir. J'ai parlé avec des gens travaillant dans d'autres bibliothèques et ils insistent tous sur le fait qu'ils ont installé des systèmes antivol. » Brunetti lança un coup d'œil à Griffoni, qui leva les sourcils sans rien dire.

« Je leur ai envoyé la photocopie de la photo du passeport de Nickerson et de sa lettre de recommandation et leur ai suggéré de regarder s'il avait fait des recherches dans leurs bibliothèques.

– En a-t-il fait ?

– Apparemment, personne n'en sait rien. Mais ils disent tous qu'ils vont vérifier les fiches à son nom.

– Et s'il utilisait plusieurs identités ? intervint Griffoni. Quelles fiches pourraient-ils alors vérifier ?

– Est-ce que l'un de leurs systèmes comporte un fichier central, réservé aux gens qui ont commis des vols dans d'autres bibliothèques ? » s'informa Brunetti.

La signorina Elettra eut pour toute réponse un grognement de colère.

Brunetti se tourna vers Griffoni. « Tu veux venir à Castello avec moi, et on jette ensemble un nouveau coup d'œil à l'appartement ? »

Elle sourit. « Laisse-moi juste le temps d'aller chercher ma veste. »

Sur le chemin, elle lui fit clairement comprendre qu'elle était bien au fait de l'affaire. Elle était même au courant pour Roberto Durà et la signora Marzi. Brunetti lui raconta sa rencontre avec cette dernière et lui fit part de sa certitude que Franchini avait pour double activité de voler des livres et d'acheter des exemplaires volés.

Griffoni n'ignorait pas la fascination que les livres rares pouvaient exercer sur bien des personnes. Lorsque Brunetti l'interrogea à ce sujet, elle lui expliqua qu'elle avait eu un *fidanzato*[1] qui faisait des recherches sur les manuscrits musicaux à la bibliothèque Girolamini.

« Il était sûr que le manuscrit perdu de l'*Arianna* de Monteverdi était là », affirma-t-elle.

Devant la perplexité de Brunetti, elle continua : « Elle a été jouée de son vivant et il existe des copies du livret, mais toute la musique a été perdue, à l'exception de la lamentation d'Ariane. » Notant qu'elle avait capté son attention, elle poursuivit : « Pour ce que j'ai pu comprendre quand il m'en parlait, c'est le monstre du Loch Ness pour les musicologues : le manuscrit a été bel et bien vu, il y a fort longtemps, et les gens pensent qu'il est toujours quelque part.

– Tu es déjà allée à la Girolamini ? »

Elle s'arrêta, comme s'il lui était impossible à la fois de marcher et de discuter sur cet argument-là. « Oui, et c'était le paradis. Il y a plus de cent mille volumes, des centaines d'incunables. Mon ami y allait pour les manuscrits musicaux, mais j'ai passé deux jours à regarder les livres sur l'histoire de Naples : des choses incroyables.

– Elle est fermée maintenant, n'est-ce pas ?

– Les carabiniers ont tout mis sous scellés après y être entrés. » Elle se remit en route. « Ça fend vraiment le cœur. Ils ont complètement pillé l'endroit.

---

1. Un fiancé.

– Du coup, ce qui s'est passé à la Merula ne paraît plus qu'un vol mineur», constata Brunetti.

D'une voix farouche, elle asséna : «Je leur couperais les mains.

– Pardon ?

– Les gens qui volent des livres, qui défigurent des tableaux ou saccagent des objets, je leur couperais les mains.

– Tu parles au sens figuré, j'espère, répliqua-t-il, en se demandant ce qu'on apprenait de nos jours aux enfants dans les écoles de Naples.

– Bien sûr que je parle au sens figuré. Je saisirais tout ce qu'ils possèdent jusqu'à hauteur de ce qu'ils ont détruit ou volé, ou je les garderais en prison jusqu'à ce qu'ils aient assez payé.

– Et s'ils ne peuvent pas payer ? »

Griffoni s'arrêta brusquement pour le regarder dans les yeux et déclara : «Oh, cesse de prendre toujours tout au pied de la lettre, Guido ; tu sais très bien que ce que je veux dire. Mais ça me rend folle ce genre de situation. Nous avons donné tellement de belles choses au monde entier, et les voir maintenant volées ou détruites… et perdues. » On n'entendit plus qu'un filet de voix ; ils reprirent alors leur chemin. Ils passèrent le pont qui donnait accès au *campo*, et la maison de Franchini apparut dans leur champ de vision.

Brunetti ouvrit la porte d'entrée avec le trousseau qu'il avait conservé. «Est-ce que nous savons ce que nous sommes venus chercher ? » lui demanda Griffoni tandis qu'ils gravissaient les marches.

Il s'arrêta devant la porte de l'appartement et mit la clef dans la serrure. «Si je te dis que nous sommes là pour chercher tout ce qui pourrait être suspect, tu me promets de ne pas me rire au nez ?

– Je ne saurais compter dans combien d'endroits j'ai cherché "tout ce qui pourrait être suspect".

– Et tu trouvais ?

– Une fois, j'ai trouvé vingt kilos de cocaïne.

– Où donc ?

– Dans une école maternelle privée, à l'extérieur de Naples. La femme qui la dirigeait était la cousine du parrain du coin. Un jour, il y a eu un incendie dans la cuisine et c'est là que les pompiers ont trouvé la drogue, cachée dans un bol. Ils nous ont appelés.

– Qu'est-ce qui s'est passé ?

– Comme toujours. Rien.

– Quoi ?

– Nous avons saisi la cocaïne, mais elle a disparu le soir même du sous-sol de la questure. Ce qui fait que nous n'avions plus de preuve à présenter contre cette femme et tout le monde à la cuisine a juré que c'était de la farine. »

Il ouvrit la porte et la tint pour elle. « Tu inventes ça de toutes pièces ?

– Non, mais j'aurais préféré. »

Il la suivit à l'intérieur et alluma la lumière. « Très bien. Donc tout ce qui pourrait être suspect. »

Une heure plus tard, ils n'avaient toujours rien trouvé de suspect. Avant d'entrer, Brunetti l'avait prévenue qu'il y avait des traces de sang sur les murs et par terre ; Griffoni lui apprit qu'elle avait six ans lorsqu'elle avait vu sa première victime de la mafia, étendue sur le trottoir en face de son école.

Franchini avait une garde-robe de luxe : des chemises cousues main, cinq vestes en cachemire et un nombre incalculable de paires de chaussures de grande marque. Il n'y avait rien de caché sous le lit ni sous le matelas et sur les étagères du haut de son armoire se trouvaient seulement des draps et des serviettes. La cuvette des toilettes ne contenait que de l'eau et l'armoire à pharmacie, uniquement de l'aspirine et du dentifrice. Dans son bureau, Brunetti trouva des relevés de banque attestant que Franchini percevait une pension de 659 euros par mois.

Mécontent que son intuition n'ait encore été gratifiée d'aucune récompense, il regarda distraitement les autres papiers dispersés sur la table : des reçus de ses factures d'eau, d'électricité et de gaz, et de celles pour l'enlèvement des ordures. Brunetti se prit à songer, comme cela lui arrivait parfois, aux livres qu'il avait lus et il se remémora une nouvelle où l'on avait envoyé un détective chercher une lettre importante chez un suspect. Bien qu'il fouinât dans tous les recoins, il ne trouvait aucune trace de cette missive, ou plutôt, n'en trouvait pas jusqu'au moment où il nota un paquet de lettres traînant ouvertement dans la pièce. Et elle était là, la fameuse lettre, dissimulée parmi d'autres papiers.

Il posa la chemise avec les relevés de la retraite de Franchini sur le bureau et retourna à la bibliothèque. Il se mit à genoux – un cambrioleur lui avait confié un jour que les gens cachent toujours les choses à protéger des voleurs près du sol – et saisit une édition reliée de *La Mandragore* de Machiavel. Il la feuilleta rapidement, puis l'ouvrit au milieu et après en avoir lu quelques lignes, il la ferma et la posa par terre. À côté de cet exemplaire se trouvaient ses *Discours sur la première décade de Tite-Live*, que Brunetti avait toujours préférés au *Prince*. En l'ouvrant pour en lire quelques paragraphes, il sentit quelque chose lui glisser entre les doigts. Il rattrapa le livre de la main droite et le libéra de sa jaquette, comme un couteau sorti de son étui. Il vit la reliure marron en maroquin affadi par le temps, et il comprit.

« Claudia », appela-t-il en se relevant. Elle arriva un moment après de la cuisine, où elle avait fouillé les placards. Dans sa main droite, elle tenait un épluche-légumes. Face à son regard ébahi, elle lui expliqua : « Ça va me servir de tournevis pour enlever la plinthe.

– Je pense que ça peut attendre, répliqua-t-il en brandissant la couverture et le livre qu'il avait découvert à l'intérieur. Regarde ce que j'ai trouvé. »

Griffoni portait des gants en latex, mais Brunetti avait oublié de remettre les siens. Il posa le livre par terre et les tira de sa poche. Il le reprit et observa la reliure. « Il est écrit en hébreu », affirma-t-il en lui tendant l'ouvrage. Elle l'ouvrit et ils étudièrent tous deux la page à double colonne, ainsi que les cinq lettres enluminées ornant le haut de la page de droite. Ils n'étaient pas plus avancés sur le contenu du volume. « Où est-ce qu'il était ? » demanda-t-elle.

« Caché dans un livre, lui apprit-il, en récupérant la couverture vide et en réinsérant le texte en hébreu à l'intérieur.

– Oh, le petit malin », fit-elle, sans pouvoir dissimuler son admiration.

Elle regarda le dos des livres qui étaient encore sur les étagères. « Tous ceux-là ? s'informa-t-elle en évaluant le travail qui les attendait.

– Voilà enfin quelque chose de suspect, rétorqua Brunetti, c'est le moins qu'on puisse faire. » Et il se saisit d'un autre livre.

Une heure plus tard, ils avaient examiné tous les volumes de la bibliothèque et trouvé trente-sept autres textes anciens, dissimulés à l'intérieur d'ouvrages modernes ; sa chasse avait été si fructueuse que Brunetti dut appeler Foa et lui demander de venir les chercher. Le long du mur à leur gauche, ils avaient accumulé des piles de livres, des cascades de livres, des montagnes de livres, dont certains étaient intacts, alors que d'autres avaient été complètement évidés pour permettre cette technique de camouflage.

Outre les livres, Brunetti avait déniché – habilement insérés dans une première édition du *Capital* de Marx – les relevés d'une banque privée de Lugano et d'une banque du Luxembourg, attestant qu'il avait au total 1,3 million d'euros en dépôt. Le compte de Lugano avait été ouvert plus de douze ans plus tôt, tandis que celui du Luxembourg était actif depuis seulement trois ans. La plupart des versements avaient été effectués en espèces, même s'il y avait un certain nombre de virements bancaires ; tous les retraits, en revanche, avaient été faits en liquide. Comme il s'agissait à présent d'une enquête pour meurtre, et non plus seulement d'un vol, les banques seraient forcées de divulguer la source de ces virements. Il lui vint aussi à l'esprit que les enquêteurs spécialisés dans les vols d'œuvres d'art pourraient être intéressés par les numéros des comptes d'où provenait l'argent.

Brunetti avait dit à Foa d'apporter deux grands cartons et lorsque ce dernier sonna à la porte d'en bas, il lui ouvrit depuis l'Interphone. Entre-temps, Brunetti et Griffoni avaient transféré tous les livres dans le couloir et les avaient empilés sur une table, près de la porte. Comme le pilote n'avait pas de gants, Brunetti lui fit tenir les boîtes, l'une puis l'autre, pendant que lui et Griffoni y déposaient les volumes.

Brunetti ferma la porte du couloir à clef, prit un des cartons des mains de Foa et commença à descendre l'escalier.

« Qu'en sera-t-il des ouvrages que nous avons laissés ? » s'inquiéta Griffoni.

Brunetti haussa les épaules. Quelqu'un se chargerait bien de les remettre en place sur les étagères, probablement le frère de Franchini, s'il décidait de garder la maison. Sa préoccupation du moment allait plutôt aux relevés de banque et il réfléchissait auprès de qui il pourrait se renseigner sur la valeur des livres qu'ils venaient de trouver. En revanche, les dépôts sur les comptes, exprimés en chiffres clairs, ne pouvaient nullement prêter à confusion.

Lorsqu'ils sortirent de chez Franchini, Brunetti fut surpris de voir que la nuit était tombée sur le *campo*. Il regarda sa montre et vit qu'il était 21 heures passées : ils étaient restés plus de trois heures à l'intérieur et il se rendit compte soudain qu'il était à la fois épuisé et affamé. Mais comme les choses commençaient enfin à bouger, il en avait oublié la fatigue et la faim.

Pendant qu'ils se dirigeaient vers le canal menant à la questure, Brunetti passa mentalement en revue les gens qui pourraient l'aider. L'homme auquel il songea habitait maintenant à Rome et il y avait longtemps que Brunetti ne lui avait plus parlé, mais Sella s'était fiancé, dix ans plus tôt, avec une cousine à lui et ils étaient restés occasionnellement en contact depuis lors. « Pourquoi pas ? conclut-il à haute voix.

– Pardon ? s'étonna Griffoni, par-dessus le bruit du moteur.

– Quelqu'un que je connais. Il peut nous dire combien valent ces livres. » Ils avaient déjà coûté la vie à Franchini, médita-t-il, mais il ne vit aucune raison de le dire. Ils n'étaient pas encore arrivés à la questure qu'il avait déjà composé le numéro de ce Sella.

Passant outre les formalités d'usage, Brunetti lui demanda s'il pouvait lui donner une quelconque idée de la valeur marchande d'un certain nombre de livres.

« Guido, répondit-il en emplissant le silence qui se fit soudain, une fois le moteur coupé, je ne vois pas pourquoi tu m'appelles à cette heure-ci et je ne sais pas non plus dans quel siècle tu crois vivre.

– Quoi ? demanda Brunetti, craignant que le bruit du moteur n'ait couvert certains mots de Sella.

– Tu n'as jamais entendu parler d'Internet ?

– Qu'est-ce que tu veux dire ?

– Que tu peux y trouver quasiment tout. » Le silence de Brunetti dut lui rappeler à qui il était en train de parler, car au bout d'un moment, il se ravisa : « Si tu m'envoies les informations sur les publications, Guido, je te trouverai ces renseignements. » Sans même laisser le temps à Brunetti de le remercier, Sella lui précisa, en se référant à sa femme : « Tu sais que Regina est psychologue ? »

Brunetti avait oublié, mais il confirma : « Oui, je le sais. Pourquoi me demandes-tu cela ?

– Dans son jargon, ça s'appelle "syndrome de l'impuissance acquise". Est-ce que tu as vu les livres dont tu parles ? »

Ignorant la première remarque, Brunetti répondit : « Quelques-uns. » Le bateau heurta le quai avec un bruit sourd, ce qui le déstabilisa un peu, mais il garda la main sur le téléphone et son esprit sur la conversation.

« Comment se présentent-ils ? poursuivit Sella.

– Ceux que j'ai examinés me semblent en bon état, mais je ne suis pas expert en la matière.

– Bien, conclut-il en riant, j'y suis. Envoie-moi la liste complète de ce qui est écrit sur les pages de titre et dis-moi si certains d'entre eux te paraissent abîmés. » Il marqua une longue pause, puis reprit : « Ai-je tort de supposer qu'il s'agit de livres volés ?

– Non.

– Alors ils doivent être bien conservés.

– Pourquoi en es-tu aussi sûr ?

– Personne n'irait courir des risques pour un livre qui ne l'est pas. »

Il leur fallut plus d'une heure pour ajouter à la liste qui comptait déjà les autres ouvrages les trente-huit nouveaux titres et les informations relatives à ces publications. Griffoni était assise à l'ordinateur et Brunetti ouvrait les livres un par un et lui lisait, sur chaque page de titre, le nom de l'auteur, la date et le lieu de l'édition. Comme Sella l'avait prévu, tous les livres étaient en excellent état de conservation, pour autant que Brunetti pût en juger. Mais leur travail avançait lentement car, si un livre portait le sceau d'une bibliothèque ou d'une collection, Griffoni recopiait ces éléments sur une liste annexe, qui n'était pas destinée à Sella.

Vingt et un de ces livres provenaient de bibliothèques et trois de collections privées, d'après les indications qu'ils portaient. Deux d'entre eux présentaient l'insigne du dauphin et les lettres P et D. Brunetti soupçonna que les quatorze livres restants avaient été dérobés dans d'autres collections, soit par Franchini lui-même, soit par les personnes qui lui avaient vendu ces livres. Il en allait de même pour ceux qui étaient estampillés à la bibliothèque. Quant à la liste de ses clients, Franchini devait probablement la garder en tête, mais ses relevés bancaires fourniraient inévitablement des noms.

Même si Sella était loin d'être aussi fort qu'il l'avait toujours prétendu auprès de Brunetti, il devait pouvoir en découvrir rapidement la valeur.

Après avoir établi les listes et envoyé la première à Sella, Griffoni se détourna de l'écran pour faire face à Brunetti. « Et maintenant ?

– On regarde ce qui est arrivé entre-temps et puis on rentre à la maison », suggéra-t-il en indiquant l'ordinateur. Ils changèrent de place. Le premier e-mail était de Rizzardi, qui confirmait que les trois coups donnés avec un objet épais et lourd, très vraisemblablement une chaussure ou une botte, avaient fracassé le crâne de la victime et brisé sa mâchoire. Le coup porté au visage, qui aurait pu ne pas être fatal, était responsable du grave épanchement de sang. Les coups sur la nuque avaient fracturé le crâne de l'homme et si gravement endommagé son cerveau que la mort avait été inéluctable. Il y avait d'autres signes de violence : des contusions sur ses avant-bras et une sur son épaule droite, qu'il s'était faite en se cognant contre le mur ou par terre, et une écharde du parquet avait pénétré dans la paume de sa main droite.

Il devait avoir survécu quelques minutes, mais pas beaucoup, écrivait Rizzardi, après les coups qu'il avait reçus à l'arrière de la tête, même si les réflexes moteurs lui avaient tout de même permis de se lever et de faire quelques pas, pour chercher instinctivement à s'échapper. Mais ces coups avaient déclenché un processus qui ne pouvait que le conduire au trépas, vu que le cerveau ne pouvait plus commander aux différents systèmes nécessaires à garder le corps en vie. Puis le médecin légiste ajouta, à la fin de son message, comme pour répondre à l'avance à la question de Brunetti : « Tout porte à croire qu'il n'a ressenti que la douleur immédiate des coups. Son cerveau était suffisamment lésé pour qu'il ne se rende pas compte de ce qui était en train de lui arriver. »

Il n'avait donc pas eu conscience de ses blessures ou de sa mort. Mais comment Rizzardi pouvait-il en être aussi certain ? Et pourquoi jugeait-il important que Brunetti le sache ?

Il y avait aussi un e-mail de Bocchese affirmant que les trois empreintes du pied droit, trouvées dans la pièce, étaient celles d'une botte munie d'une semelle épaisse, de pointure quarante-trois. Il ne s'attarda pas sur la raison de la disparition des marques, même s'il prit soin de préciser qu'il avait plu à verse la nuit qui avait suivi le meurtre, ce qui avait éliminé toute chance de trouver des traces de sang sur le *campo* en face de la maison.

Le technicien fit aussi un rapport sur les empreintes digitales, spécifiant que son laboratoire n'avait eu le temps de vérifier que les pages opposées aux pages qui avaient été découpées dans les livres de la Biblioteca Merula. Celles de la victime ne figuraient sur aucun de ces livres, même si tous portaient les empreintes d'une même personne inconnue, ainsi que d'autres empreintes encore, impossibles à identifier. La reliure du Cortés, tout comme certaines pages en regard, portaient les empreintes de la dottoressa Fabbiani et celles du gardien, que Bocchese dénomma Pietro Sartorio.

Dans le troisième paragraphe, il déclarait qu'il n'avait trouvé dans l'appartement que le sang de la victime. D'autres traces d'ADN étaient visibles sur ses vêtements, mais cette information ne servait à rien tant qu'ils n'avaient pas arrêté de suspect et vérifié si les échantillons coïncidaient. Ou pas.

Brunetti se poussa sur le côté pour laisser Griffoni lire les deux e-mails. « Qu'est-ce que tu en dis ?

– Que de violence, déplora-t-elle, puis elle poursuivit, d'une voix forte : Tous ces coups. Lui ou elle avait forcément perdu le contrôle. Personne ne peut *programmer* de faire une chose pareille. »

Brunetti approuva. C'était de la rage, ou pure folie.

Il jeta un coup d'œil à sa montre et vit qu'il était minuit passé. « Je pense qu'on devrait rentrer, proposa-t-il : il lui fallait se libérer l'esprit de la brutalité et de la déraison. Il doit y avoir un pilote pour l'équipe de nuit. On peut partir ensemble. C'est sur mon chemin », ajouta-t-il, même s'il savait vaguement qu'elle habitait à Cannaregio, du côté de la Misericordia. Elle fit un signe d'assentiment et ils sortirent ensemble de la questure.

20

Le lendemain, Brunetti partit de bon matin au travail. Il était en train de lire *Il Gazzettino*, assis sur une chaise à l'extérieur du laboratoire de Bocchese, lorsque le technicien arriva. Il était alors 8 heures. Les deux cartons de livres étaient posés par terre, près de lui. « Est-ce que tu peux vérifier les reliures, juste les reliures ? lui demanda Brunetti, en guise de salut.

– Pour les empreintes digitales ? » s'informa Bocchese, en ouvrant la porte avec sa clef.

Brunetti se pencha pour prendre un des deux cartons et suivit le technicien dans son labo.

– Oui.

– Tu as dormi la nuit dernière ? s'enquit le technicien en allumant la lumière.

– Très peu. Est-ce que tu peux le faire ? Ce matin ?

– Est-ce que tu me ficherais la paix si je ne le faisais pas ? plaisanta Bocchese, en enlevant sa veste pour enfiler sa blouse blanche.

– Non, admit Brunetti.

– Ne viens pas me déranger avant midi, lui asséna Bocchese en prenant le premier carton qu'il apporta sur la table au fond de la pièce. Maintenant, va te prendre un autre café et laisse-moi tranquille. »

Comme le manque de sommeil et l'excès de café l'avaient rendu très nerveux, Brunetti ne put attendre d'être convoqué. Il descendit au bureau de Patta à 11 heures, pensant que son supérieur pouvait déjà être arrivé ; effectivement, il était là. Brunetti l'aperçut dans le couloir qui menait à son bureau, en train de discuter avec son assistant, le lieutenant Scarpa.

« Ah, commissaire, fit Patta. Nous étions justement en train de parler de vous. »

Brunetti leur fit un signe de tête pour les saluer, passant outre la remarque du vice-questeur. « Je suis venu vous dire ce que nous avons appris sur la mort d'Aldo Franchini, dottore », énonça-t-il d'un ton des plus formels.

Tout en attendant la réponse de Patta, Brunetti évaluait la situation en termes de hiérarchie : Patta pouvait dire tout ce qu'il voulait, à l'un comme à l'autre ; lui-même pouvait manifester une forme d'agression passive envers Patta, et active envers Scarpa, tandis que Scarpa, qui se devait d'être déférent et respectueux vis-à-vis de Patta, ne pouvait pas non plus se permettre d'être trop ironique et irrespectueux à l'encontre de Brunetti. Tous trois, cependant, traitaient la signorina Elettra avec les plus grands égards : Patta par crainte, même s'il n'en était probablement pas conscient, Brunetti, du fait de sa vive admiration, et Scarpa par antipathie et à cause d'une peur inavouée.

« Et alors ? » demanda Patta de son ton brusque de meneur d'hommes.

Scarpa, plus grand que Patta, mais de la même taille que Brunetti, lança un regard dans sa direction comme s'il lui incombait de répondre. Il pouvait, à l'occasion, exhiber de l'intérêt, à la manière d'un serpent curieux d'aller capter, de temps à autre, la température ambiante.

« Tout porte à croire qu'il connaissait son assassin. Il a posé son livre à l'envers dans son salon avant d'aller ouvrir, puis il est revenu dans la pièce avec la personne qui l'a tué.

– Comment a-t-il été tué ? Je n'ai pas eu le temps de lire le rapport du médecin légiste. » Comme il n'avait pas eu non plus le temps, en toutes ces années, se dit Brunetti dans son for intérieur, de mémoriser le nom du médecin légiste.

« D'après le docteur Rizzardi, il a reçu des coups, ou il a été jeté par terre et frappé à la tête, mais il a eu quand même suffisamment de force pour se remettre debout. Il est mort des blessures à la tête, probablement peu de temps après l'agression.

– Et son assassin ? le coupa Scarpa, qui se tourna vers Patta : Si je puis me permettre cette question, monsieur le vice-questeur. » S'il avait mis un chapeau avec une plume, il l'aurait enlevé pour faire une révérence, en dessinant un arc gracieux.

Brunetti s'adressa directement à Patta. « Nous ne disposons d'aucune information indiquant qui il est, dottore. Nous avons cependant la preuve que Franchini était impliqué dans le vol de livres dans des bibliothèques et chez des particuliers, et cela pourrait nous conduire sur les pas de l'assassin.

– Vous avez dit "il" ? » s'étonna Patta. Si la voix humaine était dotée de sourcils, elle aurait levé les siens.

« "Il", confirma Brunetti. Ou une femme chaussant du quarante-trois.

– Pardon, fit Patta.

– Il y avait trois empreintes de bottes de cette pointure.

– Trois ? répéta Scarpa, comme si Brunetti avait fait une plaisanterie dont le lieutenant n'avait pu saisir tout le sel attique. Brunetti se tourna et le fixa jusqu'à ce qu'il détourne le regard.

– Autre chose ?

– Non, dottore.

– Qu'allez-vous faire de toutes ces données ? s'inquiéta-t-il, d'un ton plus dur.

– J'attends une communication de la banque de Lugano et de celle du Luxembourg, pour savoir qui a transféré de l'argent sur le compte de Franchini, vraisemblablement pour payer les livres volés. Et j'attends aussi de voir si Interpol a pu identifier l'homme du nom de Nickerson.

– Qui donc ? demanda Patta.

– C'est le nom sous lequel se faisait passer l'individu qui a volé les pages dans les livres de la Merula, expliqua Brunetti d'une voix neutre, comme s'il trouvait normal que ce nom parvienne pour la première fois aux oreilles de son supérieur. Nous avons contacté Interpol et la police chargée des vols d'œuvres d'art, mais nous n'avons obtenu aucune réponse. »

Patta prit son air le plus souffreteux et soupira comme s'il avait été victime, lui aussi, des longs retards habituels de cette organisation. « Je vois, je vois, déclara-t-il en tournant les talons. Tenez-moi au courant dès que vous avez du nouveau.

– Certainement, monsieur le vice-questeur », lui assura Brunetti et, ignorant le lieutenant, il les quitta.

Il fit un saut dans la salle commune des policiers avant de gagner son bureau et Vianello lui apprit que leurs heures d'interrogatoires dans le quartier n'avaient rien donné d'intéressant. Les voisins se souvenaient de Franchini enfant, puis jeune prêtre. Personne n'avait eu de contact avec lui depuis qu'il était revenu vivre dans l'appartement après la mort de ses parents et aucune des personnes interrogées par Vianello et Pucetti ne semblait s'offusquer de cet isolement : pour eux, sa décision de se défroquer l'avait écarté, d'une certaine manière, du giron des contacts humains.

Personne ne pouvait, ou ne voulait parler de lui, ni ne se souvenait de l'avoir vu en compagnie de quelqu'un ; tous les gens auxquels ils parlèrent furent surpris par la nouvelle de son assassinat.

De retour dans son bureau, Brunetti s'assit et réfléchit à Tertullien – non pas celui qui a vécu fort âgé, d'après les dires de saint Jérôme, mais celui qui avait été frappé à mort à Castello.

On aurait dit qu'il ne s'était jamais senti proche de personne. Même son frère, qui continuait à l'appeler chaque semaine, alors qu'il l'avait délesté d'une partie de son héritage, et la femme qu'il avait séduite dans le but de pouvoir voler les livres, avaient une importance infime à ses yeux. Il voulait s'élever dans la société et le vol, la séduction et le chantage étaient devenus ses instruments d'action.

Par association d'idées, Brunetti songea à l'autre Tertullien et, piqué par la curiosité, il alluma son ordinateur et commença à faire des recherches sur ce personnage, notamment sur ce qu'il avait dit ou, tout au moins, sur les propos qu'on lui attribuait. « Tout fruit est déjà dans le germe. » « Tomber de la poêle dans le feu. » Voilà donc d'où venait l'expression. Ensuite : « Celui qui ne vit que pour son propre bien fait du bien au monde quand il meurt. » Oh, quelle bande de sauvages, ces premiers chrétiens. Et une autre citation encore : « Si vous dites que vous êtes chrétien alors que vous jouez aux dés, vous dites ce que vous n'êtes pas, car vous êtes bel et bien dans ce bas monde. »

Brunetti marmonna dans sa barbe, comme chaque fois qu'il lisait quelque chose qui bousculait ses opinions, et la seule question qui lui vint alors à l'esprit fut : *Quel mal y a-t-il donc à jouer aux dés ?*

Puis cela lui revint brusquement. Sartor avait pris ses distances par rapport aux jeux de hasard, sous prétexte que c'était *roba da donne*. Des histoires de bonnes femmes. Pourquoi faisait-il donc des paris sur le sexe d'un enfant à naître, si les jeux de hasard ne l'intéressaient pas ? Et si c'était pour lui, et non pas pour sa femme, qu'il achetait des billets de la loterie ? Irait-il mentir sur une chose aussi triviale ? Et pour quelle raison ? Pour sauver la face vis-à-vis de la police ? De la *police* ?

Il jeta un coup d'œil à sa montre et vit qu'il était midi, passé de trois minutes. Il prit son téléphone et composa le numéro de Bocchese.

« Tu es en train de tourner à la mégère acariâtre, Guido, lui dit Bocchese.

– Tu as eu l'occasion de les vérifier, ces livres ?

– Une mégère acariâtre et *impatiente* par-dessus le marché, rectifia Bocchese.

– Combien ?

– Attends une minute. » Bocchese cria quelque chose à un de ses collègues du laboratoire, mais il étouffa le son de sa voix en couvrant le micro de la main. Il revint. « Treize.

– Y a-t-il des empreintes de Sartor – pas Sartorio –, le gardien ? »

De nouveau, le son fut étouffé et tout ce qu'il put entendre était le sourd bourdonnement de la voix de Bocchese. Il était de retour. « Six.

– Où ?

– Sur les couvertures.

– On les appelle des reliures, dans le métier », précisa Brunetti en espérant passer pour une mégère acariâtre, impatiente et tatillonne de surcroît. Et, afin de lever le moindre doute à ce sujet, il demanda : « Étaient-ce des livres de la Merula ?

– Oh, pour l'amour du ciel », s'exaspéra Bocchese, qui reposa le combiné bruyamment. Brunetti l'entendit quitter son bureau en traînant des pieds. Puis au bout d'un moment, il l'entendit revenir, toujours en traînant des pieds. « Oui, confirma Bocchese, il y avait ses empreintes sur la reliure (mot qu'il prononça avec emphase) des six livres de la Merula.

– Merci. Quand auras-tu fini de les examiner ? »

Bocchese exhala un soupir théâtral. « S'il n'y a que *ses* empreintes qui t'intéressent, je peux te le dire demain matin. » Puis, sans doute pour éviter à Brunetti de devoir jouer à nouveau les acariâtres, il ajouta : « Si tu me promets de ne pas me rappeler pour me le demander, peut-être en fin d'après-midi.

– Et si je veux des informations sur toutes les empreintes ?

– Deux jours au minimum.

– J'attends ton coup de fil », conclut Brunetti, et il raccrocha.

L'incohérence entre le mépris de Sartor pour les jeux de hasard, qu'il qualifiait d'« histoires de bonnes femmes » et l'intérêt apparent qu'il leur portait, ne méritait pas qu'on s'y attarde. Peut-être que les billets de la loterie étaient vraiment à sa femme, et peut-être que la curiosité qu'il manifestait à l'égard de l'enfant de sa collègue n'était qu'une innocente préoccupation. En revanche, il n'y avait pas un seul de ces livres sans ses empreintes. Brunetti sortit l'annuaire téléphonique et l'ouvrit à la lettre *C*, pour y chercher le numéro du *casinò*, un lieu qui avait fait l'objet de nombreuses investigations, à l'exception des toutes dernières années. Il appela le standard, se présenta et pria la personne de le mettre en communication avec le directeur.

On le lui passa aussitôt, et sans avoir eu à répondre à la moindre question préliminaire : Brunetti se demanda si c'était cela ce que Franchini entendait par s'élever dans la société.

« Ah, dottor Brunetti, lui dit le directeur de sa voix la plus aimable, en quoi puis-je vous aider ?

– Dottor Alvino, commença Brunetti d'un ton mielleux, j'espère que tout se passe bien chez vous.

– Autant que faire se peut, affirma-t-il avec un profond soupir.

– Toujours en perte ? s'enquit Brunetti, avec l'affabilité dont on use envers les malades.

– Eh oui, malheureusement. Personne ne peut l'expliquer. »

Brunetti, lui, aurait pu, mais comme son coup de fil était censé être amical, il se limita à dire : « Je suis sûr que les choses vont s'arranger.

– Nous ne pouvons que nous en remettre à la chance », asséna dottor Alvino, en écho à la foi de ses propres clients. Puis il réitéra : « Que puis-je faire pour vous, dottore ?

– Je voudrais vous demander une faveur.

– Une faveur ?

– Oui, je voudrais que vous me donniez quelques informations.

– À quel sujet, si vous permettez ?

– Au sujet d'un… » Comment pouvait-il définir ces pauvres hères, qui se bercent d'illusions ? « Au sujet d'un de vos clients, ou d'un client potentiel.

– Quel genre d'informations ?

– Je voudrais savoir à quel rythme il fréquente le casino, et s'il gagne ou s'il perd, et combien.

– Vous n'êtes pas sans savoir que nous sommes tenus d'enregistrer tous nos hôtes, rétorqua dottor Alvino, comme si Brunetti n'était pas au fait des dernières lois régissant un casino, ni des aspects plus informels de la gestion de ce type d'établissement. Donc, bien sûr que nous avons le nom des gens qui viennent, et la date de leur visite. Je serais ravi de vous les communiquer. » Puis, s'accordant une pause éloquente, il ajouta : « Agissez-vous sur la requête d'un magistrat, à tout hasard ?

– Question fort pertinente, dottore. Mais je dispose de peu de temps, voyez-vous, c'est pourquoi j'ai décidé de venir vous voir directement. Personnellement.

– Pour une faveur ?

– Oui. Une faveur. » C'était exactement comme au casino : Brunetti plaçait ses pions et invitait le directeur à les saisir pour s'en servir un jour.

« Quant à la seconde partie de votre question : vous n'ignorez pas que nous n'en gardons aucune trace officielle. » Le directeur, comme l'attestait le ton qu'il employait, était un familier du poker et habitué à miser toujours plus haut.

« Oui, je sais qu'il n'y a pas de fichier officiel pour ce genre d'information, dottore, mais je pensais que vous aviez peut-être une sorte de liste officieuse de clients particuliers, peut-être ceux qui viennent plus souvent ou qui jouent plus gros que la moyenne. Quelque chose de ce genre.

– C'est donc la faveur à laquelle vous faisiez allusion, dottore ?

– Oui, exactement. Je vous en serais plus que reconnaissant.

– J'espère bien, dit Alvino du ton le plus normal, puis il ajouta : Comment s'appelle-t-il ?

– Sartor, Piero.

– Un instant. » Brunetti entendit le cliquetis du téléphone, frottant contre une surface dure.

Il s'écoula quelques minutes. Brunetti regardait par la fenêtre. Quatre hirondelles volaient de droite à gauche. Les Romains y auraient vu un présage.

« Dottore ? » Brunetti tendit l'oreille pour entendre la voix de l'oracle.

« Oui.

– Il est venu chez nous vingt-trois fois au cours de l'année dernière. » Brunetti attendit : ce n'était pas la réponse qui méritait sa récompense. « Et il a perdu entre 30 000 et 50 000 euros environ sur cette période.

– Je vois », fit Brunetti. Puis, comme s'il ignorait la procédure, il demanda : « Comment se fait-il que vous connaissiez ce chiffre, dottore ?

– Nos croupiers surveillent certains de nos clients et nous font savoir ce qu'ils ont gagné ou perdu. De manière approximative, comme vous pouvez vous en douter.

– Bien sûr, bien sûr », approuva le commissaire, qui s'abstint de noter comme ce devait être agréable pour le directeur d'apprendre qu'un client a perdu d'aussi grandes sommes. Même si c'était ce qui pendait au nez de tous les joueurs, en fait ; sinon, pourquoi tenir un

casino ? Rouvrant son pot de miel, Brunetti poursuivit :
« Je ne saurais vous exprimer toute ma gratitude pour
vos informations, dottore.

– Je suis toujours ravi de rendre service à une
agence de l'État, dottore. J'espère vous l'avoir prouvé.

– Oui, et amplement », déclara Brunetti.

Il se demanda si Alvino allait lui rappeler de le
garder dans un coin de sa tête, au cas où ils seraient
appelés à se revoir. Mais il n'en fit rien et Brunetti fut
sensible à cette délicatesse. Le directeur se contenta de
lui dire : « Si je puis vous aider une autre fois, n'hési-
tez pas à m'appeler, dottor Brunetti. »

Il s'ensuivit les plaisanteries habituelles, et Brunetti
raccrocha.

21

Brunetti réfléchit à la position de Griffoni : qu'est-ce qui était pire, à ses yeux – que Sartor puisse être un assassin, ou qu'il ait volé et vendu les livres rares de la Merula, voire d'autres bibliothèques encore, à hauteur de 50 000 euros, puis dilapidé au jeu ce fragment du patrimoine italien ? Il pensa que la première hypothèse était sans doute la plus grave pour elle, mais non sans avoir été tenté de donner la primauté à la seconde.

Sa propre opinion était plus mesurée. Il n'avait aucune preuve concrète que Sartor était l'auteur du vol des livres, ou du meurtre de Franchini. On ne peut pendre un homme pour prévarication, ni à cause d'empreintes digitales sur un volume. Il se souvint comme il avait eu plaisir à écouter Sartor lui faisant part de son intérêt personnel pour les ouvrages que lisait Nickerson, ou d'autres chercheurs encore. Brunetti se remémora leur première conversation et la sincérité touchante avec laquelle cet homme sans grande instruction exprimait son admiration pour les livres. Il faisait montre de la modestie seyant à ces êtres de humble extraction, qui aspirent toutefois à des choses plus grandes qu'eux. Ce n'était pas un gardien : c'était un lecteur.

Brunetti était tombé, à pieds joints, dans le piège des apparences que lui avait tendu Sartor.

Son téléphone sonna. « Commissaire, lui apprit la signorina Elettra, Interpol m'a contactée. Nickerson, le chercheur américain, n'est ni docteur, ni M. Nickerson, ni américain, ni chercheur.

– Il est italien ?

– C'est quelqu'un de Naples : Filippo d'Alessio. Voulez-vous que je vous envoie leur dossier ?

– S'il vous plaît.

– Il est parti », dit-elle en raccrochant. Il apprécia qu'elle l'ait appelé en premier pour lui communiquer les résultats de ses investigations, tel un enfant sur la plage qui veut être félicité pour avoir trouvé un joli coquillage, avant de vous le tendre fièrement.

Le temps qu'il allume son ordinateur, l'e-mail était là. Filippo d'Alessio avait derrière lui une longue histoire d'usurpation d'identités et de vols, la première activité au service de la seconde. Il parlait couramment allemand, italien, anglais, français et grec, et était recherché par la police des pays où l'on parlait ces langues.

Il avait été arrêté deux fois en Italie pour vol de cartes de crédit et trois fois pour fraude postale. On le recherchait aussi dans trois pays pour avoir volé des livres et des pages arrachées à certains volumes. Il appliquait toujours la même stratégie : il se faisait passer pour un chercheur et commençait à travailler parfois dans un musée, mais le plus souvent dans une bibliothèque. Josef Nicolai était l'identité qu'il avait revêtue en Autriche et en Allemagne, et c'était un certain José Nicandro qui avait opéré en Espagne. Joseph Nickerson était recherché par la police à New York et à Urbana, tout comme ses autres alias à Berlin et à Madrid. Et qui sait ce que recherchait la police grecque.

Interpol avait envoyé sa photo à quelques bibliothèques ; les bibliothécaires l'avaient fait suivre à leurs collègues, dont beaucoup avaient déjà constaté la désolation que l'aimable jeune chercheur avait laissée sur son passage. Brunetti supposa que de nombreux autres n'avaient pas encore découvert le résultat des recherches menées par ledit Joseph Nicollet à la Bibliothèque nationale, ou par Jozef autre chose à la bibliothèque de l'université de Cracovie.

Pour la police affectée aux vols d'œuvres d'art, c'était un professionnel qui pouvait voler des volumes ou des pages spécifiques sur commande. Sa famille déclarait haut et fort avoir perdu tout contact avec lui, mais peu de temps auparavant, son père, un cordonnier à la retraite, s'était acheté un appartement de six pièces dans le centre de Naples : l'argent nécessaire à cette acquisition avait été envoyé à sa banque par une « tante habitant dans les îles Caïman ».

Brunetti finit de lire le dossier mais, malgré l'intense activité qu'il avait déployée les jours précédents, son enquête dépendait toujours de l'appel de Bocchese. Il prit une feuille de papier et commença à esquisser un scénario possible : il inscrivit « Livres » dans un cercle, au milieu de la page, et le relia par une ligne droite à un autre cercle, où il écrivit « Nickerson / D'Alessio », puis revint au premier cercle et relia « Franchini » à « Sartor ». Puis, comme si cela allait de soi, il relia « Nickerson / D'Alessio » à « Franchini » et mit un point d'interrogation au-dessus de cette ligne.

À quoi avait-il bien pu occuper son esprit, l'ancien curé, au cours de toutes ses années de lecture de saint Ambroise, saint Cyprien et saint Jérôme ? Il faisait déjà du trafic de livres avec l'aide de Durà et enrichissait la réserve d'ouvrages qu'il s'était probablement procurés dans les bibliothèques de Vicence à l'époque où il y officiait comme prêtre. Après tout ce temps, il avait bien dû se faire sa liste de clients ; Brunetti n'en douta pas une seconde.

Trois années de lecture à la Merula avaient laissé le temps à Franchini d'enrôler Sartor ; Brunetti pouvait ainsi les relier par une flèche à double sens. Mais ensuite, le professeur Nickerson était venu mettre les pieds dans ce que Franchini considérait comme sa chasse gardée. Et puis ? Et puis ?

Brunetti se leva et alla contempler à la fenêtre l'église de San Lorenzo qu'on venait de rouvrir, au fond du *campo* situé de l'autre côté du canal. Les fouilles archéologiques avaient repris d'un jour à l'autre : la veille encore, la porte de l'église était fermée, comme elle l'était restée pendant des décennies ; et le lendemain, elle était ouverte. Il regardait les gens entrer et sortir de l'édifice, accessible depuis peu ; certains portaient des salopettes blanches et des casques de chantier jaunes, d'autres étaient en costume cravate.

Il retourna à son bureau, l'esprit focalisé sur l'homme mort. Comme Franchini gisait par terre sans connaissance, ou sans vie, l'assassin avait tous les livres à portée de la main ; toutefois, les ouvrages dont l'ancienneté sautait même aux yeux du plus profane n'avaient pas été touchés. L'assassin n'était resté que le temps d'enlever sa chaussure.

Mais comment s'en était-il débarrassé ? Aurait-il été assez stupide pour la garder ? L'avait-il jetée à l'eau, ou à la poubelle ?

Brunetti composa le numéro de Bocchese.

Le technicien décrocha à la huitième sonnerie : « Qu'est-ce qu'il y a cette fois, Guido ?

– Le sang qui était sur le sol, et que l'assassin a foulé de ses pieds – est-ce qu'il aurait pu le faire disparaître de sa chaussure ? » Il se demanda si quelqu'un avait déjà appelé Bocchese pour savoir à quel moment il fallait planter les dahlias, ou si la Juve allait participer à la Ligue des champions.

Son collègue mit au moins une minute à lui répondre : « Il y avait des traces de sang de Franchini dans l'évier, à la cuisine.

– Des empreintes digitales ?

– Je te l'aurais dit, non, Guido ?

– Oui. Bien sûr. Je suis désolé. Est-ce qu'il aurait pu se débarrasser du sang ?

– Non. Il aurait pu le laver, mais pas s'en débarrasser. Il avait des bottes à semelle gaufrée, le pire que puisse porter un assassin. » Bocchese marqua une pause, puis ajouta : « S'il regardait la télé, il l'aurait su.

– Merci pour ton aide », lui dit Brunetti.

Bocchese émit un bruit, puis affirma : « Tu m'empêches de m'occuper de tes livres, Guido. » Il éclata de rire et raccrocha.

Brunetti décida que cette conversation et toutes ces pensées étaient incompatibles avec une si jolie journée de printemps. Il appela chez lui et demanda à Paola s'ils pouvaient se retrouver sur les Zattere, pour aller se promener et déjeuner en terrasse, sur la *riva*.

« Et les enfants ? s'enquit-elle de ce ton maternel qu'elle adoptait pour la forme et dont il n'était absolument pas dupe.

– Laisse-leur un plat avec un mot, et viens me rejoindre chez Nico pour un verre ; après, on peut redescendre tout le quai et aller manger.

– Quelle merveilleuse idée, même si tu rates des gnocchis à la sauce bolognaise. »

Un homme moins versé dans l'art du mariage aurait proposé d'en commander au restaurant, mais il savait que le terrain était miné. « Oh, ça m'embête bien de les manquer.

– Je peux en cuire la moitié pour les enfants et garder le restant pour le dîner, suggéra-t-elle.

– Si on se goinfre de *moeche*, on n'aura pas très faim ce soir, nota-t-il, impatient de manger les premiers crabes à carapace molle de la saison.

– Toi ? s'étonna-t-elle, de sa voix faussement innocente, te goinfrer ?

– Très drôle », répliqua-t-il, l'informant qu'il partait immédiatement, et il raccrocha.

Il s'abstint de lui faire part des spéculations auxquelles il se livrait à propos des hommes qui s'étaient rencontrés à la Biblioteca Merula : ainsi le repas fut-il très agréable, et ils décidèrent même d'un commun accord d'aller à la mer – sans préciser de quelle mer il s'agissait – pour les vacances d'été. Ils retournèrent ensemble à l'embarcadère de l'Académie, où ils prirent chacun leur bateau dans des directions différentes. Brunetti ressentit alors plus que jamais combien il détestait devoir se séparer de Paola. Même s'il se reprochait ce comportement peu digne d'un homme, il ne pouvait surmonter sa crainte permanente – dans cette ville pourtant si tranquille – que Paola soit en danger dès l'instant où elle était hors de sa vue. Cette impression s'en allait aussi vite qu'elle était venue, mais ne disparaissait jamais totalement, tout comme il n'avait jamais eu le courage de le lui avouer.

Ils avaient bu leur café en prenant leur temps et avaient longuement bavardé, si bien qu'il était 16 heures passées lorsqu'il retourna au travail. Il vit sur son bureau une chemise en plastique bleu qui contenait, comme ses années de collaboration avec le technicien le lui laissaient deviner, une copie du rapport de Bocchese, qu'il avait laissée là sans explication. Ce rapport contenait deux listes : l'une comportait tous les titres des livres examinés, et l'autre les noms des personnes dont les empreintes avaient été trouvées sur les reliures de ces ouvrages.

Celles de Franchini figuraient sur tous ces volumes ; celles de Sartor sur tous les livres provenant de la Merula et celles de la dottoressa Fabbiani sur trois d'entre eux.

Ce résultat ne suffirait pas à convaincre un juge, mais était plus que nécessaire pour renvoyer Brunetti à son diagramme originel. Il noircit les cercles autour de « Franchini » et de « Sartor ». Ces preuves étaient assez tangibles à ses yeux. Il composa le numéro de Griffoni et lui demanda de monter. Il voulait vérifier si elles l'étaient également pour elle.

Et elles l'étaient. « C'est l'histoire du cheval de Troie, déclara Griffoni en souriant. Il est à l'intérieur, on lui fait confiance. Et dire qu'en plus, son travail est d'assurer la protection des livres. Qui se serait posé la moindre question en le voyant revenir des réserves, un ouvrage à la main ? Qui serait allé vérifier son sac quand il rentrait le soir chez lui ?

– Et Franchini ? » s'enquit Brunetti.

Elle garda le silence si longtemps qu'il crut qu'elle n'avait rien à ajouter, mais elle finit par suggérer : « Nous ne pouvons plus lui parler, mais nous pouvons parler à Sartor.

– Maintenant ?

– Il est encore assez tôt pour aller discuter avec lui. »

Brunetti appela pour s'assurer que le gardien était bien à la bibliothèque et fut ravi de son intuition ; il apprit en effet que l'épouse de Sartor avait téléphoné deux jours plus tôt pour prévenir qu'il était très malade et ne retournerait travailler qu'une fois remis.

Pour minimiser l'intérêt qu'il portait à ce dernier, il dit à la personne qu'il supposait être le jeune homme à l'accueil qu'il voulait demander à Piero – Brunetti prit soin de le désigner par son prénom et d'adopter un ton amical – s'il se souvenait des conversations qu'il aurait pu avoir avec Nickerson, mais que tout cela pouvait très bien attendre la semaine suivante.

Lorsque le jeune homme demanda si l'enquête avait avancé, ou s'il y avait quelque espoir de récupérer les livres, Brunetti lui répondit, d'une voix qu'il maquilla de tristesse, qu'il craignait que ce ne soit peu probable et que s'il avait personnellement l'occasion de parler avec Sartor, il valait mieux prévenir le gardien que la police restait pessimiste à ce sujet.

Après avoir raccroché, Brunetti rapporta à Griffoni la moitié de la conversation qui lui avait échappé, même si elle avait très bien pu en imaginer le contenu.

Elle n'aurait pu prendre un ton plus détaché lorsqu'elle énonça : « Sa femme a appelé le lendemain de ta conversation avec lui. Le lendemain de la mort de Franchini. »

Brunetti appela la signorina Elettra et lui demanda si l'on avait versé l'adresse de Sartor à son dossier. Elle l'informa un instant plus tard que le gardien vivait deux *calli* derrière l'Académie, lui donna le *numero civico*[1] et lui expliqua à quel moment il devait tourner à gauche, puis à droite.

Il habitait Calle larga Nani. Il y avait des années qu'il n'y était plus allé, peut-être même des décennies. Il se rappelait qu'il y avait un bureau de tabac au coin, mais n'avait gardé aucun autre souvenir de cet endroit. Ils montèrent dans le numéro 2, descendirent à l'Académie et trouvèrent la maison sans diffi-

---

1. Le numéro de la maison. Chaque *sestiere* se compose de ces *numeri civici* qui partent de la première porte du quartier et vont jusqu'à la dernière de ce même quartier, ce qui explique les chiffres si élevés dans les adresses vénitiennes, comme par exemple San Marco 4939.

culté, quatre portes après le *tabaccaio*, qui était encore là.

Avant de sonner, Brunetti regarda Griffoni et lui demanda s'ils ne devraient pas mettre au point une stratégie avant de rencontrer Sartor. « On le fait comme ça vient », répliqua-t-elle, et elle avait raison : il n'y avait pas moyen de préparer l'interrogatoire. Il sonna.

Quelques minutes s'écoulèrent, sans réponse. Il sonna de nouveau et se demanda pourquoi il n'avait pas songé à demander l'ordonnance d'un magistrat pour pouvoir chercher d'autres livres encore. Probablement par crainte de perdre foi dans le monde des lecteurs.

La porte s'ouvrit et il vit paraître une femme d'une cinquantaine d'années : grande, trop mince, au bord de l'épuisement et décontenancée de voir du monde à sa porte. « Êtes-vous le docteur ? s'informa-t-elle, en les regardant fixement l'un après l'autre. Vous aviez dit que vous ne pouviez pas venir, et vous voilà à deux. » Elle était perplexe, et non point en colère. Les cernes noirs sous ses yeux trahissaient son inquiétude et son manque de sommeil, tout comme la manière dont elle les dévisagea tour à tour, dans l'espoir que l'un ou l'autre se décide ainsi à parler.

« Nous sommes venus voir M. Sartor, commença Brunetti.

– Vous *êtes* donc le docteur ? insista-t-elle, exaspérée.

– Non, je ne suis pas docteur. » Comme elle semblait l'avoir saisi, il poursuivit : « Je suis désolé d'apprendre qu'il est malade. Que lui arrive-t-il ? »

Elle secoua la tête et sembla encore plus peinée, encore plus confuse. « Je ne sais pas. Il est rentré à la maison il y a deux jours, en disant qu'il était malade et il n'a presque plus parlé depuis ce soir-là.

– Où est-il ?

– Au lit. » Puis, comme si elle croyait qu'ils pouvaient lui venir en aide, elle expliqua : « L'hôpital m'a dit d'appeler la Sanitrans pour l'y emmener, mais je leur ai dit qu'on ne peut pas se le permettre et de toute façon, il ne veut pas être hospitalisé. Ça s'est passé… » Elle jeta un coup d'œil à sa montre et précisa : « Il y a deux heures. J'ai dû sortir pour aller téléphoner ; je ne trouvais pas le portable de Piero et nous n'avons plus de téléphone fixe à la maison. C'est pourquoi j'ai pensé qu'ils avaient peut-être changé d'avis et fini par envoyer un médecin. » Elle fit un sourire furtif, à peine plus d'une grimace, et répéta : « Il ne veut vraiment pas y aller.

– Si vous voulez, signora, nous pouvons essayer d'appeler la Guardia Medica [1] », proposa Griffoni avec douceur.

Un jeune couple apparut au fin fond de la *calle* au moment où la femme les invitait à entrer. Elle posa sa main sur le bras de Griffoni et la tira presque dans la maison. Brunetti suivait ; la femme referma derrière eux et resta le dos appuyé contre la porte, l'air soulagé.

Il fut surpris de voir qu'ils n'étaient pas dans le hall d'entrée, mais dans ce qui devait être la pièce à vivre, qui se trouvait au rez-de-chaussée ; les fenêtres, percées de chaque côté de la porte, donnaient sur la rue et étaient protégées par d'épais rideaux et par des barreaux, visibles dans le léger rai de lumière qui provenait d'une étroite ouverture. Un luminaire, suspendu

1. Le médecin de garde.

au centre du plafond, tentait d'éclairer la pièce. En face du canapé, d'un vert passé, se trouvait une énorme télévision démodée, avec une antenne en oreille de lièvre. Il n'y avait rien d'autre dans la pièce : pas de chaises, aucune décoration sur les murs, pas de tapis. Rien. On aurait dit que des vandales, tel un essaim de sauterelles, étaient passés par là, mais qu'ils avaient dédaigné la télé et le canapé et décidé de laisser cette seule ampoule s'efforcer vainement d'alléger les tristes ténèbres. Le sol carrelé luisait sous l'effet de l'humidité, comme s'il voulait prouver qu'il résistait, toujours et encore, au soleil ou à la chaleur, ou encore à l'arrivée du printemps.

La femme se tenait debout, un bras en travers de la poitrine, la main sur l'épaule opposée, les lèvres serrées, ne sachant toujours pas qui ils étaient et pourquoi ils étaient là. Elle cligna plusieurs fois des yeux, afin de pouvoir mieux les distinguer. Elle fit un pas sur le côté, et s'agrippa au dossier du canapé.

« Signora, intervint Griffoni, avez-vous mangé aujourd'hui ? »

La tête de la femme pivota pour la regarder. « Comment ?

– Avez-vous mangé aujourd'hui ?

– Non, non, bien sûr que non. Je suis trop occupée, affirma-t-elle en agitant les mains.

– Puis-je vous déranger et vous demander un verre d'eau ? » demanda Griffoni.

La requête de la commissaire sembla raviver son sens des obligations sociales, qui voulait que les voisins ne sachent rien de ce qui se passait chez elle. « Oui, oui. Venez avec moi. Je peux vous offrir un café. Nous en avons encore. » Elle s'écarta du canapé et maintenant que leurs yeux s'étaient adaptés à la faible lueur, Brunetti et Griffoni remarquèrent une porte dotée d'un rideau, qui menait sur la gauche. La femme se dirigea vers elle ; Griffoni se tenait en arrière. Tandis qu'elle s'apprêtait à tirer le rideau sur le côté, elle se tourna vers Brunetti et désigna une porte derrière le canapé. « Mon mari est là. Peut-être qu'il... », commença-t-elle, mais elle n'acheva pas sa phrase, comme si elle n'était plus en mesure d'imaginer le comportement de Sartor.

Brunetti attendit de percevoir le bruit de l'eau, suivi du cliquetis du frottement métallique. Il connaissait ces regards emplis de détresse, typiques des victimes de crimes ou d'accidents : vite leur donner de l'eau sucrée, ou quelque chose à manger, si possible. Et les garder au chaud. C'est alors qu'il se rendit compte combien il faisait froid dans cette pièce et l'humidité complice n'arrangeait pas les choses.

Il gagna la porte et entra sans prendre soin de frapper. Il fut saisi par l'odeur, tel le remugle fétide et moisi émanant de la cage d'un animal, ou du logement d'une personne âgée ayant baissé les bras et cessé de se laver ou de se sustenter régulièrement. La tiédeur de la chambre empirait encore la situation. Il en chercha la source et vit un chauffage électrique dans un coin, cinq barres rougeoyantes se battant contre le froid. La lumière filtrait à travers une fenêtre simple, pourvue d'un rideau ; elle éclairait peu, mais conférait une forme aux rares objets dans la pièce : un grand lit, une petite table et un verre vide. Les sauterelles étaient passées par là aussi, mais avaient épargné l'homme alité, couché sur le dos, les yeux fermés. Un drap blanc pas très net était replié au sommet d'une couverture bleu foncé.

Le visage non rasé de Sartor avait un aspect rêche, et le jour filtrant par la fenêtre creusait et obscurcissait ses joues. L'encolure de son tee-shirt laissait entrevoir sa barbe de plusieurs jours ; on l'entendait respirer.

La pièce était si petite qu'en deux pas, Brunetti fut à ses côtés. Il s'assit sur la chaise près du lit et remarqua la chaîne en argent, avec une minuscule corne de taureau en corail rouge, qui se nichait au creux des poils de Sartor. Beaucoup d'hommes en portaient – surtout dans le Sud –, comme un porte-bonheur et un talisman les protégeant du mauvais sort.

Il avait laissé instinctivement la porte ouverte, en réaction à l'odeur : il préférait avoir froid plutôt que de sentir cette puanteur. Il entendit un tintement qui aurait pu être celui d'une tasse ou, espérait-il, celui d'une assiette. Lorsqu'il se tourna vers Sartor, il s'aperçut que son souffle s'était accéléré. Des bruits de pas s'approchèrent soudain et Brunetti se leva, car il se refusait à laisser entrer les deux femmes dans la chambre.

Ce bruit continua dans la *calle*, puis s'éloigna de la maison ; Brunetti comprit alors combien il était étrange de vivre dans un endroit où l'on ne sait jamais si les gens sont chez soi ou dans la rue. Il se rassit et commença, d'un ton neutre : « Signor Sartor, c'est moi, Brunetti. Nous nous sommes rencontrés à la bibliothèque. »

Sartor ouvrit les yeux et le regarda. Brunetti vit qu'il le reconnaissait. Sartor hocha la tête : « Oui, je me souviens.

– Je suis venu à cause des livres. »

Cette fois, Sartor ne fit qu'un signe d'assentiment.

Changeant de sujet, Brunetti lui dit : « Vous êtes au lit depuis deux jours, n'est-ce pas ?

– Je ne sais pas.

– Êtes-vous malade ?

– Non, pas vraiment.

– Alors pourquoi êtes-vous alité ? s'enquit Brunetti, comme s'il lui posait la plus naturelle des questions.

– Je n'ai nulle part où aller.

– Vous pourriez aller travailler. Vous pourriez sortir vous promener. Vous pourriez aller prendre un café au bar. »

Sartor pencha sa tête de part et d'autre sur l'oreiller.

« Non, c'est fichu.

– Quoi donc ?

– Ma vie. »

Brunetti ne cacha pas sa surprise. « Mais vous êtes en train de me parler, et votre femme est à la cuisine, donc votre vie n'est pas fichue.

– Si, elle l'est, rétorqua-t-il avec une insistance puérile.

– Pourquoi vous êtes-vous mis une telle idée en tête ? »

Sartor ferma les yeux un moment, les ouvrit et regarda Brunetti. « Parce que j'ai perdu mon emploi.

– Et pour quelle raison ? » demanda Brunetti innocemment.

Sartor le fixa, puis referma les yeux. Le commissaire était toujours assis, et attendait. Après une bonne minute, Sartor ouvrit les yeux et avoua : « J'ai volé des livres.

– De la bibliothèque ? »

Il opina du chef.

« Pourquoi les avez-vous volés ?

– Pour le payer.

– Payer qui ? s'informa Brunetti, faisant de son mieux pour sembler confus.

– Tertullien. Franchini.

– Lui payer quoi ? Et pourquoi ? » Brunetti songea qu'un joueur ne pouvait se retrouver dans l'obligation de payer que pour une seule et unique raison.

« Il m'a donné de l'argent. Ou plutôt me l'a prêté.

– Je ne comprends pas, pourquoi lui auriez-vous emprunté de l'argent ?

– Pour éponger d'autres dettes. » Sartor ferma les yeux et pinça les lèvres, à l'évocation de ce mot.

« Que s'est-il passé ?

– J'avais besoin d'argent. Il y a deux ans de cela. Alors je suis allé voir quelqu'un qui en prête.

– Et pas une banque ? »

Sartor écarta l'idée par un fort grognement. « Quelqu'un en ville.

– Ah, je comprends. » Il y avait pas mal d'usuriers à Venise : hypothéquez votre maison, et le monde est à vous. L'or de votre mère ? L'assurance-vie de votre père ? Vos meubles ? Rien de plus facile. Signez ici et vous aurez tout l'argent dont vous avez besoin. Seulement dix pour cent d'intérêts. Par mois. La moindre de leurs opérations était indécente ; mais impossible de les arrêter.

« Nous devions payer des intérêts chaque mois. C'est ce que nous faisions, mais après, il a voulu récupérer la somme. » Brunetti trouvait intéressant que ce soit Sartor qui ait emprunté l'argent, mais qu'il soit passé à « nous » lorsqu'il s'était agi de le rembourser.

« Quand tout cela a-t-il commencé ?

– Je vous l'ai dit : il y a deux ans. Nous avons réussi à payer les intérêts pendant un an, mais ensuite, c'était trop. » Une de ses mains se contracta sous le couvre-lit ; Sartor agrippa le drap et la couverture et les tira à lui. « Quand il m'a dit qu'il voulait récupérer son argent, je lui ai expliqué que nous ne pouvions pas le rembourser. » Il sortit sa main pour toucher un moment sa corne en corail, puis la remit en sécurité. « Il est venu ici avec un ami et il a parlé à ma femme. » Il laissa Brunetti deviner la teneur de la conversation.

« Ce qui fait que vous avez demandé à Franchini de vous prêter cet argent ? »

La question choqua Sartor. « Non. Bien sûr que non. C'était un de nos lecteurs. »

Brunetti, quant à lui, ne fut pas moins choqué par la réponse de Sartor que par la violence de sa voix.

Le rythme de ces dialogues changeait constamment, Brunetti le savait : il était temps de passer à davantage de douceur encore. « Je vois, fit-il. Que s'est-il passé ensuite ? »

Il observait Sartor, en train d'essayer de formuler une réponse et il le vit pincer ses lèvres contre les dents, comme si en fermant la bouche de cette manière, il pouvait garder le silence un long moment, sans doute jusqu'à ce que Brunetti en vienne à oublier sa question.

Brunetti attendait, toujours assis sur sa chaise. Il s'imaginait en plante, peut-être un lilas, venant d'enfoncer ses racines dans ce siège. S'il y restait suffisamment longtemps, il pourrait devenir un élément permanent de la chaise, de la pièce, de la vie de Sartor : l'homme ne se débarrasserait jamais plus de la vue du commissaire, désormais enraciné dans son existence.

« Un jour, reprit Sartor, alors que j'étais en train de sortir de la bibliothèque – nous échangions toujours quelques mots lorsque Franchini arrivait et qu'il partait –, il m'a dit qu'il me trouvait l'air soucieux et m'a demandé s'il pouvait faire quelque chose pour moi.

– Vous saviez qu'il avait été prêtre ?

– Oui.

– Et puis ?

– Et puis nous sommes allés prendre un café et je lui ai expliqué – comme vous le dites, il avait été prêtre par le passé – que j'avais des problèmes d'argent. » Brunetti ne vit pas le rapport. Pour lui, les prêtres étaient censés s'occuper d'autres questions, mais il ne souffla mot. « Il m'a proposé de m'en prêter. Je lui ai dit que je ne pouvais pas accepter et il m'a dit que si je voulais, il pouvait officialiser la chose.

– L'officialiser ?

– En signant un papier. » Une main sortit de dessous le couvre-lit pour simuler en l'air la signature.

– Avec des intérêts ?

– Non, répliqua Sartor, d'un ton presque offensé. Juste qu'il m'avait prêté de l'argent.

– Combien était-ce ? »

Il vit Sartor prêt à mentir, ce qu'il fit du reste : « Mille euros. »

Brunetti hocha la tête, feignant de le croire.

Il s'ensuivit une longue pause, comme si Sartor pouvait, par un coup de baguette magique, effacer tout ce cauchemar.

Fatigué de cette kyrielle de mensonges, et de ces atermoiements divers et variés, Brunetti demanda, pour aller plus vite à l'essentiel : « Et que s'est-il passé ensuite ? »

Sartor le regarda comme s'il l'avait bousculé trop fort ou insulté. Il détourna la tête et fixa le mur. Brunetti attendit.

« Après quelques mois, Franchini m'a dit qu'il avait besoin de récupérer son argent. » Sartor marmonna quelque chose, du côté du mur. « Mais je ne l'avais pas. Quand je le lui ai dit, il m'a répondu que je pouvais l'aider, d'une autre façon.

– Comment ? »

Sartor se tourna soudain et fusilla Brunetti du regard. « En lui donnant des livres, naturellement », asséna-t-il, la gorge nouée. Brunetti comprit que la patience et l'imagination de Sartor étaient pratiquement épuisées.

« Vous a-t-il dit quels livres ?

– Oui. Il les avait trouvés dans le catalogue et m'a spécifié leurs titres.

– Les lui avez-vous donnés ? poursuivit Brunetti, conscient du verbe qu'il avait choisi, suggérant que Sartor était en droit de le faire.

– Je n'avais pas le choix, rétorqua-t-il, indigné.

– Et Nickerson ? » lança Brunetti, espérant l'étonner par cette question.

La réponse de Sartor ne se fit pas attendre. « Quel est le rapport ? demanda-t-il d'une voix contractée.

– Connaissait-il Franchini ? »

Sartor le regarda rapidement, incapable de masquer sa surprise, et Brunetti se demanda s'il avait posé la mauvaise question, ou l'avait posée trop tôt. Le regard de Sartor se fit plus perçant encore, mais il finit par fermer les yeux et garda le silence si longtemps que Brunetti craignit d'avoir atteint le moment inévitable où le gardien se refuserait à dire un mot de plus. Il attendit, lui faisant sentir qu'il attendait la suite, mais Sartor demeurait immobile, les yeux fermés. Il entendit un bruit provenant de l'autre pièce et espéra que les femmes ne les rejoignent pas à cet instant précis.

Sartor ouvrit les yeux. Son visage était différent, plus alerte ; même sa barbe, qui avait pu paraître en bataille et peu soignée, semblait à présent le fruit d'une négligence étudiée.

« Oui, répondit-il enfin. Il était très intelligent, ce Franchini. »

Pas tant que cela, avait envie de répliquer Brunetti, mais il préféra lui demander : « Que voulez-vous dire ?

– Il m'a dit qu'il reconnaissait Nickerson. Il l'avait déjà rencontré, commença Sartor, qui continua lentement, en soupesant chaque mot, comme s'il lui fallait clarifier le moindre de ses propos. Il ne m'a pas dit où, ni quand ; juste qu'il le connaissait.

– Est-ce qu'ils travaillaient ensemble ? »

Sartor mit de nouveau si longtemps à répondre que Brunetti fut saisi de la même crainte, mais il finit par acquiescer.

« Et vous l'avez aidé ?

– Très peu. Franchini m'a dit de laisser Nickerson tranquille.

– À la sortie ?

– Oui, marmonna-t-il, gêné, comme si Brunetti lui-même ne devait pas entendre son aveu. Que pouvais-je faire d'autre ? » Comme Brunetti ne répondit pas, il se justifia : « J'avais juste à ne pas vérifier sa mallette. »

Sartor déplaça sa main gauche sur le côté du lit et saisit le bord du drap, qu'il commença à rouler entre son pouce et son majeur, jusqu'à en faire un cylindre. D'avant en arrière, d'avant en arrière, comme quelqu'un qui caresserait un chat.

« Et ensuite ?

– Nickerson voulait le Doppelmayr.

– Le quoi ? s'enquit Brunetti, même s'il connaissait cet ouvrage de cartographie.

– C'est un atlas du ciel, expliqua Sartor, du ton condescendant de l'expert. Il y en a un à la bibliothèque, et Nickerson a dit qu'il le voulait.

– Pourquoi cet exemplaire précisément ?

– Pour un client à lui. C'est ce que m'a rapporté Franchini.

– Que s'est-il alors passé ?

– Franchini était un homme circonspect, et il a dit que c'était un livre trop important à faire sortir. Et trop grand. Il a dit à Nickerson que cette fois il ne se prêterait pas au jeu, quels que soient ses arguments ou son offre. »

Brunetti se composa l'air le plus effaré possible et demanda de nouveau : « Que s'est-il alors passé ? »

Il observa Sartor, en train de réfléchir à sa réponse. « La veille du jour où Nickerson est parti, il m'a demandé d'aller dans la salle de lecture et de dire que le lendemain, je devais ramener au bureau un des livres qu'il avait en consultation, car il fallait l'envoyer à une autre bibliothèque. Il m'a dit que cela lui ferait peur, et c'est bien ce qui s'est produit.

– Pourquoi cela ?

– Franchini m'a dit qu'ils avaient eu des mots au sujet du Doppelmayer, et aussi pour une question d'argent. » Face à la curiosité pure et dure qu'exprimait le visage de Brunetti, Sartor ajouta : « Il m'a dit – Franchini – qu'il voulait se débarrasser de lui parce qu'il le redoutait. »

Ah, songea Brunetti, *voilà donc la version que je suis censé croire*. Il était persuadé, depuis le début, que la mort de Franchini avait fait suite à une histoire de gros sous, mais n'avait pas forcément songé à une dispute entre ces deux hommes.

Brunetti avait longtemps été d'avis que l'une des caractéristiques de la stupidité était son incapacité à imaginer l'intelligence. Même si les gens stupides connaissaient le mot « intelligent » et avaient vu, de leurs yeux vu, certaines personnes saisir les choses au quart de tour, leur intelligence monochromatique ne leur permettrait jamais de faire véritablement la différence. Si bien que Sartor ne pourrait jamais se rendre compte à quel point son histoire était cousue de fil blanc. Brunetti ne savait s'il devait le fustiger ou le plaindre.

Un bruit de pas, provenant cette fois non pas de la *calle* mais de la pièce d'à côté, lui fit grâce de cette décision. « Commissaire », l'appela Griffoni.

Il se leva et gagna la porte. L'épouse de Sartor était dans l'embrasure de celle qui menait à la cuisine, tandis que Claudia se tenait au milieu de la pièce. « Nous avons parlé, la signora et moi », lui dit-elle en se tournant, souriante, vers la femme. La douceur de sa voix lui fit craindre le pire.

Brunetti ferma la porte de la chambre et s'approcha de Claudia.

« Nous avons parlé, reprit-elle, de la difficulté à joindre les deux bouts avec un seul salaire. » L'épouse de Sartor, restée à l'arrière-plan, approuva d'un signe de tête ces vérités, visiblement accessibles au seul entendement féminin. Elle semblait s'être calmée ; sans doute Claudia était-elle parvenue à lui faire absorber un peu de sucre, voire un peu de nourriture.

En se tournant vers elle, Claudia demanda : « N'est-ce pas, Gina ?

– Oui. Et avec la crise, les salaires ne bougent pas, alors que tout augmente. » Elle s'était ressaisie et n'était plus la femme bouleversée qui les avait fait entrer.

« Donc nous devons tous faire attention, conclut Claudia d'un ton emphatique. Pas de gaspillage : faire avec ce que l'on a. » Puis s'adressant à Brunetti avec une fausseté criante, mais que l'autre femme ne pouvait déceler, elle déclara : « La signora m'a dit que son mari avait terriblement peur de perdre son emploi. » Le visage de la femme se troubla et ses mains se joignirent, comme pour se consoler l'une l'autre.

Brunetti se demanda si Claudia n'avait pas besoin elle-même d'une dose de sucre, mais le ton de sa voix l'avertit qu'elle avait une idée derrière la tête. Puis, comme si elle se le remémorait soudain, elle se tourna vers la femme et lui dit : « C'est pourquoi c'est si sage de votre part d'avoir empêché votre mari de jeter ses bottes. »

La femme sourit, fière de ses vertus de fée du logis. « Elles ont encore pas mal d'années devant elles, expliqua-t-elle. Il les a payées 143 euros, il y a quatre ans à peine. Nous ne pourrions plus nous le permettre aujourd'hui, les choses vont si mal.

– On n'est jamais trop prudent, signora », répliqua Brunetti avec un sourire d'approbation, tout en songeant que cette sagacité serait précisément la cause de sa destruction. Puis, en proie à une double émotion, il lui demanda : « Signora, pourrais-je aussi avoir un verre d'eau ?

– Oh, acceptez que je vous fasse un café, dottore », répondit-elle en retournant à la cuisine.

Tout en la suivant, il se tourna vers Griffoni et lui dit : « Appelle-les et dis-leur que nous avons besoin d'un mandat de perquisition ; il nous faut trouver ces bottes. »

Au lieu de lui obéir comme elle se devait de le faire, elle rétorqua : « J'ai déjà joué les Judas une fois, je n'ai pas envie de recommencer. »

Brunetti sortit son téléphone et composa le numéro de la questure pour demander le mandat en question, puis se rendit à la cuisine de la signora Sartor, où il accepta son geste d'hospitalité.

Mort à La Fenice
Calmann-Lévy, 1997
et « Points Policier », n° P514

Mort en terre étrangère
Calmann-Lévy, 1997
et « Points Policier », n° P572

Un Vénitien anonyme
Calmann-Lévy, 1998
et « Points Policier », n° P618

Le Prix de la chair
Calmann-Lévy, 1998
et « Points Policier », n° P686

Entre deux eaux
Calmann-Lévy, 1999
et « Points Policier », n° P734

Péchés mortels
Calmann-Lévy, 2000
et « Points Policier », n° P859

Noblesse oblige
Calmann-Lévy, 2001
et « Points Policier », n° P990

L'Affaire Paola
Calmann-Lévy, 2002
et « Points Policier », n° P1089

Des amis haut placés
Calmann-Lévy, 2003
et « Points Policier », n° P1225

Mortes-eaux
Calmann-Lévy, 2004
et « Points Policier », n° P1331

Une question d'honneur
Calmann-Lévy, 2005
et « Points Policier », n° P1452

Le Meilleur de nos fils
Calmann-Lévy, 2006
et « Points Policier », n° P1661

Sans Brunetti
Essais, 1972-2006
Calmann-Lévy, 2007

Dissimulation de preuves
Calmann-Lévy, 2007
et « Points Policier », n° P1883

De sang et d'ébène
Calmann-Lévy, 2008
et « Points Policier », n° P2056

Requiem pour une cité de verre
Calmann-Lévy, 2009
et « Points Policier », n° P2291

Le Cantique des innocents
Calmann-Lévy, 2010
et « Points Policier », n° P2525

Brunetti passe à table
Recettes et récits
(avec Roberta Pianaro)
Calmann-Lévy, 2011
et « Points Policier », n° P2753

La Petite Fille de ses rêves
Calmann-Lévy, 2011
et « Points Policier », n° P2742

Le Bestiaire de Haendel
À la recherche des animaux dans les opéras de Haendel
Calmann-Lévy, 2012

La Femme au masque de chair
Calmann-Lévy, 2012
et « Points Policier », n° P2937

Les Joyaux du paradis
Calmann-Lévy, 2012
et « Points Policier », n° P3091

Curiosités vénitiennes
Calmann-Lévy, 2013

Brunetti et le mauvais augure
Calmann-Lévy, 2013
et « Points Policier », n° P3163

Gondoles
Histoires, peintures, chansons
Calmann-Lévy, 2014

Deux veuves pour un testament
Calmann-Lévy, 2014
et « Points Policier », n° P3399

L'Inconnu du Grand Canal
Calmann-Lévy, 2014
et « Points Policier », n° P4225

Le garçon qui ne parlait pas
Calmann-Lévy, 2015
et « Points Policier », n° P4352

Brunetti en trois actes
Calmann-Lévy, 2016

RÉALISATION : IGS-CP À L'ISLE-D'ESPAGNAC
IMPRESSION : CPI FRANCE
DÉPÔT LÉGAL : FÉVRIER 2017. N° 133367-2 (3023839)
IMPRIMÉ EN FRANCE

Le garçon qui ne parlait pas
Donna Leon

À la mort de l'homme sourd et muet qui travaillait dans leur pressing, le commissaire Brunetti et son épouse, bouleversés, découvrent qu'il n'existait pas dans les registres. Aucune trace du garçon qui ne parlait pas ! Une famille d'aristocrates semble mêlée à ce décès mystérieux. Mais pour quelle raison ces gens puissants et influents auraient-ils éliminé ce malheureux simple d'esprit ?

« Une intrigue savoureuse dans la charmante Venise. »

Le Parisien Magazine

L'Inconnu du Grand Canal
Donna Leon

Qui est cet inconnu dont le cadavre a été retrouvé dans le Grand Canal de Venise ? Bien que défiguré, l'homme semble familier à Brunetti. Ses recherches le mènent jusqu'à un abattoir du continent où la victime était vétérinaire. Plongé malgré lui dans les scandales de l'industrie de la viande, le commissaire est ébranlé. Sa ville, son pays, ne sont-ils vraiment plus ce qu'ils étaient ?

« Cette profonde réflexion sur le crime et l'humanité caractérise le meilleur de l'œuvre de Donna Leon. »

The Independent

Deux Veuves pour un testament
Donna Leon

Automne ensoleillé à Venise. Brunetti ferait bien l'école buissonnière. Mais pas de répit pour le commissaire, une vieille dame est retrouvée morte à son domicile. Verdict du légiste : crise cardiaque. Brunetti est sceptique : et si quelque chose leur échappait ? La victime, veuve dévouée aux personnes âgées et aux femmes battues, était une personne secrète. Peut-être trop pour être honnête...

« Donna Leon nous offre une nouvelle plongée glaçante en eaux troubles. On ne se lassera décidément jamais des morts à Venise. »

Madame Figaro